Estruturalismo:
Russos x Franceses

Coleção ELOS
Dirigida por J. Guinsburg

Equipe de realização — Tradução e organização: Aurora F. Bernardini; Revisão: Dainis Karepovs; Produção: Plínio Martins Filho.

N. I. BALACHÓV

Estruturalismo: Russos x Franceses

EDITORA PERSPECTIVA

Título original russo
- *K krítike novéichikh tendêntzii v litieraturovédtcheskom structuralisme*
- *O vozmójnostiakh i fórmakh primenênia semiotitcheskoi kategórii "znatchênie" v poétike i v litieraturovêdenii*

Copyright © Editora Perspectiva

Direitos em língua portuguesa reservados à
EDITORA PERSPECTIVA S.A.
Av. Brigadeiro Luís Antônio, 3025
01401 — São Paulo — Brasil
Telefone: 288-8388
1980

SUMÁRIO

Prefácio *por Aurora F. Bernardini* 7

1. Para uma Crítica das Tendências Mais Recentes do Estruturalismo nos Estudos Literários 11

2. Possibilidades e Formas de Aplicação da Categoria Semiótica da "Significação" em Poética e nos Estudos Literários 63

PREFÁCIO

N. I. Balachóv, conhecido crítico soviético, evidencia nestes dois ensaios certos aspectos do estruturalismo ocidental que considera passíveis de crítica e os coloca em discussão contrapondo-lhes, por um lado, certas formulações do estruturalismo soviético que ele interpreta como conflitantes com eles e, por outro lado, seus próprios reparos e convicções. A confrontação parece-nos estimulante e quase sempre fecunda, a par da veemência e do caráter drástico de algumas conclusões a que chega o autor, apesar da linguagem às vezes não muito clara (o que é pouco freqüente entre os críticos soviéticos da atualidade) e, em sua complexidade, talvez involuntariamente, contaminada pela expressão do estruturalismo literário francês.

No primeiro trabalho, publicado em *Kontext-1973* (coletânea anual que reúne uma série de pesquisas soviéticas no âmbito da teoria da literatura), Balachóv estuda as duas tendências que lhe parecem caracterizar o estruturalismo literário francês de fins da década de 60 — a tendência filosófica, defenomenologizante e antimetalinguagem, cujos expoentes seriam M. Foucault, F. Wahl, J. Ricardou, J. Lacan e alguns outros, e que refletiria um retrocesso fundamental da filosofia burguesa, negando as representações e separando o signo da realidade e do indivíduo. A inconsistência deste desvinculamento é apontada com muita agudeza pela análise de trechos de obras de Púchkin, Shakespeare e Anatole France. A outra corrente, mais propriamente literária e projeção da tendência lingüística transformacional, das gramáticas gerativas de Z. Harris, N. Chomsky, S. K. Chaumian e de outros lingüistas soviéticos que J. Kristeva não teria interpretado "em sua real multilateralidade", é também discutida com argumentos e exemplos elucidativos.

Quando à orientação de outros estudiosos, em parte influenciados por Kristeva, como R. Barthes, J. Greimas, T. Todorov e outros, ela é tratada com maiores detalhes no segundo artigo, publicado em *Kontext-1974* e aqui também apresentado. Retomando a polêmica contra o que se passou a chamar em crítica literária de "estruturalismo francês" e apontando dificuldades gerais da abordagem semiótica da estética (que, se não levar na devida conta o grau de "estruturabilidade" real do texto, ameaça reconduzir "àquela racionalização difusa e ensaística em relação à literatura contra a qual, justamente, havia-se insurgido"), o autor investe contra os que a praticam sobre "elementos isolados de estrutura" e não sobre "o projeto geral de uma obra, seu enquadramento ativo, sua individualidade orgânica".

A rejeição de certos elementos das teorias de Greimas, por exemplo, é realizada ora de modo jocoso — como a de seu materialismo *sui generis,* que Balachóv qualifica de "virado pelo avesso", "como se um astrônomo se convencesse da existência de um início material da esfera celeste, não tanto vendo, fotografando... fixando os espectros, as irradiações dos corpos celestes..., quanto ainda investigando e apalpando o telescópio e os outros aparelhos, com ajuda dos quais são conduzidas as observações" —, ora de maneira decididamente brilhante, como no caso do verdadeiro xeque-mate à noção greimasiana de "isotopia", tão em voga, hoje em dia, nas análises literárias. Nisto, curiosamente, Balachóv encontra um aliado no discutido livro de R. Barthes, *O prazer do texto*, em que este autor, ao mesmo tempo em que veladamente contrapõe à "isotopia" o conceito de "anisotropia" do texto, lança uma idéia que, segundo o pesquisador soviético, poderá tornar-se um fio condutor no caos do estruturalismo literário ocidental contemporâneo.

Neste momento em que os estudos que envolvem estruturalismo e literatura se tornaram tão freqüentes e às vezes tão contraditórios, inclusive em nosso meio, achamos interessante, a título de discussão, travar conhecimento com outros aspectos da questão, estudados por um especialista como Balachóv, que traduzimos do russo.

Aurora F. Bernardini

1. PARA UMA CRÍTICA DAS TENDÊNCIAS MAIS RECENTES DO ESTRUTURALISMO NOS ESTUDOS LITERÁRIOS

1. *Notas introdutórias.* O presente trabalho não é dedicado à consideração de umas ou outras possibilidades de se aplicar parcialmente a análise estrutural ao estudo da literatura, mas sim à avaliação crítica das novas tendências dentro do estruturalismo, *visto como sistema* e à sua aplicação *como um todo* dentro dos estudos literários. Por convenção, eles serão denominados daqui por diante "estudos literários neo-estruturalistas". Serão estudadas duas tendências que se manifestaram de modo bastante nítido na França, no fim da década de 60, e que se apresentam como tentativa para superar a crise das pretensões do estruturalismo de servir como modificador geral do clima científico dos estudos literários visando um caráter universal e uma significação filosófica.

Primeira, por sua importância, a tendência filosófica consiste em "defenomenologizar" inteiramente o estruturalismo em crítica literária, baseando-se numa interpretação paradoxal dos últimos trabalhos de Hüsserl e, em parte, de Freud. Esta tendência (vide item 3) altera os princípios da própria estrutura dos "clássicos" desde o *Curso de lingüística geral* de Ferdinand de Saussure até os principais trabalhos de Louis Hjelmslev [1], segundo os quais não apenas o "nível da percepção ou da apreciação coletiva", mas também o "físico" deve ser contado entre os mais importantes níveis da substância semântica[2]. Os "clássicos" do estruturalismo em lingüística se orientavam pela concepção de que, no signo, "o plano dos significantes constitui o plano da *expressão* e o plano dos significados, do *conteúdo*[3], ainda que em Hjelmslev a "substância" lingüística fique próxima da "forma" e seja definida por um critério externo que não pode ser descrito sem premissas extralingüísticas etc.[4] Sabe-se que a fórmula-chave do signo em Saussure (significante/significado), a que considera que na língua o significado como que segue o significante, tal como a fórmula ERC (Expressão-Relação-Conteúdo), a mais freqüentemente aplicada por Hjelmslev, serviu como meio para desenvolver uma ciência particular — a lingüística estrutural.

A tendência filosófica, conforme ver-se-á mais adiante, rejeitou justamente a categoria científica mais concreta dos "clássicos" do estruturalismo (chamada por Barthes de "metalinguagem"[5] e, de acordo com a terminologia semiótica, às vezes denominada também "metalingüística" ou "linguagem de uma segunda ordem") que engloba a

1. Vide: L. Hjelmslev, *Essais linguistiques*, Copenhague, 1959. (Trad. bras.. *Ensaios Lingüísticos*, São Paulo, Perspectiva — no prelo.)

2. L. Hjelmslev, «Pode-se considerar que as significações das palavras constituem uma estrutura?» *Apud* a coletânea organizada por V. A. Zveguíntsev, *Coisas novas em lingüística*, fasc. II, Moscou, 1962, p. 133.

3. Vide: Roland Barthes, «Eléments de sémiologie», in *Le degré zéro de l'écriture...*, Paris, 1970, p. 111 *(ES)*.

4. Roland Barthes, *ES*, pp. 111-112. Para maiores detalhes vide L. Hjelmslev, «La stratification du langage», *Linguistics today* (Word), 1954, vol. 10, n. 2-3, pp. 163-164.

5. Roland Barthes, *ES*, pp. 163-164.

expressão e o conteúdo das línguas naturais[6]. Se na filosofia idealista do começo do século o desenvolvimento da ciência foi tratado como o processo de revelar o desaparecimento da matéria, das coisas em si, então no estruturalismo *contemporâneo* ocidental de fins da década de 70, seu desenvolvimento é tratado como o processo de separar a ciência em sua expressão abstrata — o epistema — não apenas das coisas em si, mas também das manifestações e dos fenômenos. O conhecimento como que possui um valor lógico-formal e não conduz à concepção de coisa alguma além de si próprio, pois o estudo do "significante" no signo não remete à compreensão do "significado", ao conteúdo. Cada "significado", em cada signo, intervém apenas como "significante" do signo seguinte e assim por diante, sem sair-se dos signos, não apenas para as essências, mas nem mesmo para os fenômenos. Isto quer dizer que o epistema estrutural auto-suficiente não só se desmaterializa, como também se "defenomenologiza".

A tendência filosófica intervém em duas modificações:

a) como desenvolvimento dos últimos trabalhos de Hüsserl, nos quais alterava-se sua própria fenomenologia. Entre os teóricos deste movimento é preciso destacar Michel Foucault e François Wahl. Ver-se-á mais adiante, no momento em que nos referirmos às intervenções de Jean Ricardou no colóquio de Estrasburgo sobre o romance, em 1970, porque tais teorias conduzem à prática da crítica literária.

---

6. Não se deve pensar que o «conteúdo» dos «clássicos» do estruturalismo corresponda a uma dada categoria da concepção materialista. A título de esclarecimento, veja-se o mais simples exemplo de Hjelmslev: «Na língua inglesa o signo *am* é constituído por dois elementos de expressão (*a* e *m*) e de cinco elementos de conteúdo: *ser* + *1ª pessoa* + *singular* + *tempo presente* + *indicativo*» (L. Hjelmslev, «Pode-se considerar...», p. 135).

b) como desenvolvimento de alguns aspectos da psicanálise freudiana; neste caso, igualmente não há passagem nem para a essência, nem para o fenômeno, mas, em termos um pouco simplistas, admite-se a realidade do sujeito como centro de seu subconsciente. O representante desta modificação é Jacques Lacan — entre seus divulgadores científicos contam-se Moustafá Safouan e, devido ao parentesco entre ambas as modificações, o mesmo F. Wahl. Ele tenta sintetizar os diferentes rumos da tendência filosófica e dispõe-se a adaptar uns ou outros aspectos das teorias de Louis Althusser, Jean Badiou e de alguns outros estudiosos como Jacques Derrida e R. Barthes, ligados aos precedentes pela etapa "inconseqüente" do estruturalismo, no sentido wahliano, mas sensíveis às novas correntes.

A segunda das duas tendências principais do estruturalismo contemporâneo nos estudos literários, embora manifeste igualmente pretensões de reforma filosófica, liga-se mais estritamente não à gnoseologia mas à lingüística e principalmente à literatura. Ela se baseia na idéia de uma expansão, para a literatura, da experiência da análise lingüística transformacional, das gramáticas gerativas (de Z. Harris e N. Chomsky) e também da teoria dualista das gramáticas gerativas (de S. K. Chaumian). Tal extensão[7], não propriamente realização, mas por enquanto apenas projeção da segunda tendência transformacional, é

---

7. No item 2 tentamos mostrar, em parte, que esta extensão, mesmo em relação ao domínio da semântica da língua é admitida, pelos próprios lingüistas estruturalistas (sem se considerar a poderosa inércia que se nota em cada especialista de proceder à universalização de seu método de pesquisa), apenas com um grande número de limitações, sem se falar então da arte como âmbito da semântica extralingüística que intervém numa série dada como «hipersemântica». Nos «clássicos» do estruturalismo, até 1958, como testemunha o já citado artigo de Hjelmslev, discutia-se a questão dos significados das palavras virem a constituir uma estrutura.

tratada por seus adeptos como uma verdadeira revolução, como se fosse um estruturalismo de partida, "dinâmico", em princípio novo e fundamental para os estudos literários. A mais ativa representante desta orientação, Julia Kristeva (que exerceu influência significativa sobre certos autores tais como T. Todorov, R. Barthes e outros), tenta mesmo postular a união do neo-estruturalismo "dinâmico" dos estudos literários com a dialética de concepção hegeliana.

Assim, a evolução ocorrida na França graças ao estruturalismo literário levou, no começo da década de 70, a partir da assimilação da semiótica e da análise estrutural do plano dos estudos literários (com o que se ocupou brilhantemente, por exemplo, Roland Barthes), à passagem para um "neo-estruturalismo" filosófico, "defenomenologizado" em suas modificações pós-hüsserlianas ou pós-freudianas ou para um estruturalismo que pretende ser "dinâmico" ou ainda "dialético", baseado nos experimentos da lingüística transformacional.

À luz das duas inovações (cujos momentos culminantes foram, para a tendência filosófica, a edição em fins de 1968 da coletânea *O que é estruturalismo?*, organizada por François Wahl[8], e para a tendência transformacional, a edição, em 1970, do livro de J. Kristeva, *O texto do romance. Abordagem semiológica de uma estrutura discursiva transformacional*[9], parecem ultrapassados os pontos de vista de uma série de estudiosos, que até

---

8. O. Ducrot, T. Todorov, D. Sperber, M. Safouan, F. Wahl, *Qu'est-ce que le structuralisme?*, Paris, Seuil, 1968 (*QS*).

9. Julia Kristeva, *Le texte du roman. Approche sémiologique d'une structure discursive transformationelle*. Paris, Mouton-The Hague, 1970 (*TR*). Vide também: J. Kristeva, *Semeiotike. Recherches pour une sémanalyse*, Paris, Seuil, 1969 (abreviado: *RS*). Trad. bras.: *Introdução à Semanálise*, São Paulo, Perspectiva, 1974.).

pouco tempo representavam a última palavra em termos de estruturalismo literário que apenas parcialmente haviam sofrido a influência das tendências mais novas, R. Barthes, T. Todorov, J. Derrida, sem se falar dos trabalhos de R. Jakobson e mesmo de C. Lévi-Strauss.

2. *A tendência transformacional do estruturalismo literário*. A crise do estruturalismo literário suscitou em alguns de seus adeptos a tendência em experimentar o método transformacional, por analogia com a lingüística. A tentativa desse gênero mais conseqüente foi a empreendida por J. Kristeva nos dois livros mencionados, de 1969 e 1970[10]. Este intento (que pressupõe não apenas a introdução no neo-estruturalismo literário do método transformacional pensado como método de abordagem dinâmico, mas também o emprego de uma dialética de sentido supostamente hegeliano) deveria ter ocasionado a transformação do estruturalismo literário, se ele realmente fosse passível de "dinamização" e de "dialetização", numa ciência completamente nova (em particular, no referente ao estruturalismo como foi compreendido até a segunda metade da década de 60).

No caminho para esta reestruturação, entretanto, surgiram obstáculos devido aos seguintes fatos:

---

10. Naturalmente, nos trabalhos concretos de uma autora como J. Kristeva, que se exprime de modo tão complexo, esta idéia não vem expressa tão diretamente. Para a compreensão do «romance como transformação», originariamente, J. Kristeva emprega o último termo em dois sentidos diferentes, sendo que o primeiro deles não está ligado à lingüística, mas sim ao ensaio do romancista Henry James («The Art of Fiction») e ao livro de G. Lukács, *La Théorie du roman*, Paris, 1963, pp. 64-73 (vide: J. Kristeva, *TR*, pp. 15-19, 64 68, 69, 136-137). Contudo, em todas as dimensões de *TR* predomina a idéia da aplicação do método lingüístico transformacional à crítica literária.

1) o "dinamismo" do método transformacional em lingüística é tratado pelos próprios lingüistas com extremo cuidado;

2) a análise transformacional não pode ser aplicada sem uma série de restrições, nem mesmo quando se trata de morfologia ou de sintaxe; no caso então de aplicá-la à semântica da língua, surgem tantas dificuldades que tornam extremamente problemática, na melhor das hipóteses, qualquer aplicação sua a objetos literários complexos por princípio, subjetivamente concretos e "hipersemânticos";

3) o neo-estruturalismo literário (não se fala aqui dos casos particulares de aplicação da análise estrutural) não apenas não concorda com a dialética materialista, mas também está tão firmemente ligado ao "formal-abstrato" (no sentido hegeliano) que não pode, de maneira alguma, combinar-se com aquele grau de "reflexão" e de "pensamento especulativo" no qual opera a dialética de Hegel, em sua forma idealista.

Em sua tentativa de reestruturação, Kristeva apóia-se na análise transformacional de Z. S. Harris, N. Chomsky, E. Benveniste, D. S. Wors (quanto às suas tentativas de utilizar Hegel[11], seria necessário um comentário especial) e refere-se também aos experimentos dos lingüistas soviéticos, em particular à coletânea *O método transformacional em lingüística estrutural*[12]. Deve-se entretanto dizer que tanto os trabalhos ocidentais, quanto os dos lingüistas soviéticos que pesquisaram problemas de análise transformacional (V. V. Ivanóv, T. M. Nikoláieva, I. I. Révzin,

---

11. Por exemplo: Julia Kristeva, *TR*, p. 189.
12. Moscou, 1964, será abreviado como *MTLE*. Encontra-se citado em Julia Kristeva, *TR*, p. 39 e ss. e pp. 201-202.

P. A. Sobolióva, V. N. Toporóv, B. A. Uspiênski, S. I. Fitiálov, S. K. Chaumian, bem como alguns trabalhos mais recentes de I. D. Apresian, A. K. Jolkóvski, J. A. Meltchuk etc.) *não foram assimilados por J. Kristeva em sua real multilateralidade*. As suas tentativas não contribuíram para convalidar aqueles trabalhos de S. K. Chaumian que, conforme diz Kristeva, lhe serviram de apoio — nem seu artigo publicado no MTLE "A gramática transformacional e o modelo aplicativo gerativo", nem "A lingüística estrutural"[13], aparentemente mais apropriado para este livro —, especialmente quando os estudos de Chaumian são vistos à luz de seu trabalho mais recente *Problemas filosóficos de lingüística teórica* (Moscou, 1971. *QF*).

A impossibilidade de transpor os métodos elaborados por S. K. Chaumian para o âmbito da literatura, não é condicionada por causas subjetivas, mas sim pelo fato deles se basearem numa "modelação lingüística abstrata", cujo primeiro problema, entre os seis formulados pelo pesquisador, é "a reconstrução de um sistema semiótico universal, denominado língua genotípica" (vide *QF* p. 13).

Contudo, na medida em que a literatura opera não simplesmente com unidades, mas antes de tudo com imagens concretas e individuais, suas manifestações, diferentemente do que ocorre com as línguas artificiais, não podem ser consideradas fenótipos, em relação aos quais, embora num nível hipotético (vide *QF*, pp. 13-14), possa ser construído um genótipo literário. Para os neo-estruturalistas não se trata aqui da relação estética com a realidade, de um protótipo da imagem artística de uma representação; não se trata também da generalização conceptual das leis

13. Moscou, 1965 (abreviado como *LE*).

da arte — a estética. Para o neo-estruturalismo literário não devem sair para além do nível sígnico nem o "fenótipo" nem o "genótipo": a incógnita — para os fenótipos literários é justamente o genótipo *literário* — como aproximação a este tipo de constructo irrealizável poderia servir algum fenotexto de uma época ou corrente literária dadas (embora ele não possa conservar o caráter artístico das obras concretas e conseqüentemente também sua correspondência real), ou qualquer antigo modelo de correspondência que exorbitasse dos limites da literatura artística e finalmente, como se dizia antigamente, quaisquer "apêndices" bastante não universais "como saudações diversas que um potentado escrevia a outro".

Nem salva a situação o conceito de "literaturidade", adotado a partir do formalismo russo, transposto para o francês como "littérarité" e introduzido no estruturalismo literário francês antes da formação das tendências mais recentes. A "literaturidade" tanto pode ser boa como má, mas ela é, contudo, uma categoria conceptual. Pouco muda igualmente a situação, o apelo de T. Todorov no sentido de orientar a ciência não para o estudo da "literatura real", mas para uma literaturidade abstrata, uma "literatura possível"[14]. Pois o "genótipo" literário incógnito viria a ser um "trans-signo" universal, um "apossemema" que, embora não atingível pela observação direta, fosse passível de ser construído e do qual pudessem ser deduzidos os "fenótipos" literários: ora, *deduzir Rei Lear* ou *O Cavaleiro de Bronze*...!

À construção do "genótipo" literário por enquanto não auxiliou nem a explicação de T. Todorov, de que o estru-

---

14. Todorov, *Poétique, QS,* p. 102.

turalismo considera a obra de arte como "uma das manifestações mais significativamente gerais de uma estrutura abstrata, em relação à qual a obra é apenas uma de suas possíveis realizações"[15], nem a proposta de Julia Kristeva de se construir o "genotexto" literário[16].

Nenhum problema da modelação lingüística abstrata pelo método de S. K. Chaumian é aplicável à literatura, nem tomado individualmente (o que, do ponto de vista da teoria da língua-genótipo já é um *nonsense* por si só), nem que pareça ser o mais indicado para ela. Subentendemos como problema formulado, aparentemente sob a influência dos trabalhos de B. A. Uspiênski[17]:

A tipologia semiótica das línguas naturais, do ponto de vista dos tipos de um sistema semiótico universal transformado. Projeção das características tipológicas no espaço e no tempo (*QF*, 1.13).

Poder-se-ia experimentar a aplicação desta situação à literatura apenas substituindo "o sistema semiótico universal" (*i.e.*, o genótipo, ou de acordo com B. A. Uspiênski, a língua-padrão), por categorias conceptuais generalizantes da estética, neste caso, porém, já não se trataria mais de neo-estruturalismo[18]. A definição de lingüística estrutural

---

15. *QS*, p. 102. Por motivos de espaço e tempo, não analisamos aqui as tentativas desta ordem, apresentadas nas conferências de Varsóvia em agosto de 1965 e em Kazimierze em setembro de 1966. Vide a descrição da IX sessão (Semiótica da Literatura) no livro *Sign-Language-Culture*. Paris, The Hague, 1970.

16. Por exemplo: *TR*, 73; *RS*, p. 282 e ss.

17. Vide: B. A. Uspiênski, *Tipologia estrutural das línguas*, Moscou, 1965, parte I, cap. 4 e parte II, cap. 5.

18. Os estudiosos de literatura não devem sentir-se tentados pela perspectiva acenada por S. K. Chaumian (*LE*, pp. 348-356 e particularmente p. 353) da utilização do modelo aplicativo geracional, *i.e.*, aquela que não trata de cadeias, como em N. Chomsky (vide *LE*, pp. 183-184) mas de complexos (cf. J. Kristeva, *TR*, pp. 40-42) para a modelação da estrutura de pensamento, fato

proposta por S. K. Chaumian (*LE*, pp. 7, 14-17, 369 etc.) como sendo uma ciência que tem por objeto o *aspecto dinâmico* da sincronia da língua, deve ter atraído Julia Kristeva de modo particular. Tal definição apresentada com entusiasmo pelo autor em 1965 (*LE*, p. 7), não foi nem mencionada alguns anos mais tarde, em seu trabalho "Problemas filosóficos de lingüística teórica". Ela relacionava-se com a renovação do estruturalismo anunciada por S. K. Chaumian e que seria perpetrada "pela teoria a dois níveis (ou seja pela língua-genótipo, N.B.) das gramáticas gerativas", diametralmente oposta à teoria "de um único nível" — elaborada pela escola de N. Chomsky (*LE*, p. 370). Ocorre que S. K. Chaumian chamou dinamismo à qualidade que, a rigor, já se encontra no esquema de Saussure, no qual a "sincronia" não é vista como equivalente de nenhuma estaticidade absoluta ou "sistigmia". "O aspecto dinâmico da sincronia" não acarretou "conseqüências fundamentais" para a lingüística estrutural, na medida em que ele foi antes anunciado do que realizado. Diante do valor indiscutível que apresenta para a lingüística a teoria a dois níveis das gramáticas gerativas, proposta por S. K. Chaumian, o mencionado "dinamismo da sincronia" encontra-se bem longe, mesmo idealmente, do movimento dialético intrinsecamente indispensável — o automovimento.

que de um certo modo abriu caminho à passagem para a arte através do estudo estrutural do pensamento. É preciso lembrar que o estruturalismo deve estar relacionado com o pensamento artístico (em imagens). Isto erige em seu caminho justamente todas aquelas barreiras que impediram a construção de um «genótipo» para a literatura. É útil considerar esta questão à luz das considerações expressas por A. A. Leontiev no artigo «Problemas de glotogênese na ciência contemporânea» a respeito do grau de correlação entre língua e pensamento e sobre a historicidade da formação da linguagem sígnica (vide a coletânea *Engels e a lingüística*, Moscou, 1972, pp. 143-145 e pp. 149-152).

Nos trabalhos dos lingüistas soviéticos que se ocupam de análise transformacional, não se nota, via de regra, nenhuma disposição no sentido de realçar seu "aspecto dinâmico", nenhuma tendência para recomendar a transposição da análise transformacional para regiões não lingüísticas — insinua-se, pelo contrário, o receio de que isso possa introduzir um elemento de inexatidão na própria lingüística. Por exemplo, V. N. Toporóv, que no artigo "O método transformacional" menciona a aplicabilidade, em princípio, da análise transformacional a alguns setores não lingüísticos (*MTLE*, pp. 86-87) e formula nitidamente o problema da complicação do modelo transformacional, caso ele seja aplicado à semântica (*idem*, p. 84)[19]. Esta complexidade está relacionada com a questão das transformações "com inteira conservação de significado" que, acrescenta V. N. Toporóv, "por si só não é nada clara" (*idem*, p. 82).

A situação de *problematicidade* das transformações com inteira conservação de significados precisa ser assimilada e não apenas porque ela se opõe às tradições dos "clássicos" da lingüística estrutural. Ocorre que o texto poético, já submetido à operação indispensável da tradução, que já perdeu a sua particularidade importantíssima por ter sido transmitido pelos meios de uma outra parte, que já foi alterado por adaptações e reproduções, mesmo que

---

19. No próprio N. Chomsky este problema também é postulado com reservas e de uma forma algo declarativa: «Esforçamo-nos por demonstrar que é possível aplicar o estudo puramente formal da estrutura a alguns problemas da semântica» (N. Chomsky, «Estruturas sintáticas», *in Coisas novas em lingüística*, fasc. II, p. 415). Vide também o item n° 6 e particularmente o n° 9 («Sintaxe e semântica»). Aqui N. Chomsky lembra também que «a consideração minuciosa de cada teoria semanticamente dirigida sai dos limites de uma dada pesquisa e não apresenta interesse...» (p. 512).

utilitariamente determinadas, não suporta nenhuma transformação experimental gratuita, devido à conservação incompleta de significado.

O problema da "conservação do significado durante as transformações", igualmente não resolvido por V. N. Toporóv, tornando-se, com a passagem da semântica lingüística para a pesquisa literária, o problema da conservação de um significado exato individual e irrepetível, transforma-se numa condição absoluta cuja inobservância *anula a cientificidade,* na passagem para a arte, tanto no caso em que se trata da relação forma-conteúdo na obra literária, quanto no caso em que é considerada a relação significante-significado no texto, do ponto de vista estrutural.

No artigo de T. M. Nikoláieva, "Análise transformacional de locuções com adjetivos que regem o discurso na língua russa" (*in MTLE,* e conhecido por J. Kristeva), nota-se uma prevenção em relação à transferência da análise transformacional não apenas para a literatura, mas também para o âmbito da semântica lingüística.

Ao mesmo tempo em que T. M. Nikoláieva concorda com algumas conclusões dos trabalhos da década de 60 de D. S. Wors e de A. Chill, ela constata que "a própria viabilidade ou inviabilidade das transformações aplicáveis é bastante incerta (*MTLE,* p. 150) e chega a algumas conclusões, duas das quais devem ser tomadas em consideração quando se tratar de tentativas de transpor o método transformacional para a literatura:

2) os resultados obtidos não podem ser generalizados para qualquer tipo de categoria, uma vez que para semelhante generalização é indispensável a análise de um material praticamente

ilimitado; 3) pelo visto, há contradição entre um sistema de classes desarticulado e sistematizado dentro de uma estrutura eminentemente lingüística e um sistema de relações semânticas hierarquicamente não desarticulado; eis por que estes sistemas não podem ser comparados em termos de relações adequadas — deste modo, os resultados obtidos no nível lingüístico, em sua maioria, é como se ficassem pairando no ar (*idem*, pp. 151-152)[20].

A conclusão sobre a impossibilidade de se comparar uma estrutura propriamente lingüística com sistemas hierarquicamente não articulados, entre os quais o sistema das relações semânticas não é o mais irregular, apenas testemunha a não aplicabilidade do método transformacional à literatura. Um pouco mais tarde, em 1967, I. D. Apresian, apoiando-se, em parte, nos trabalhos gerais de A. K. Jolkóvski e de I. A. Meltchuk e paralelamente em seus últimos[21], demonstrou certas possibilidades de se aplicar o método transformacional ao estudo da semântica verbal.

---

20. Um dos exemplos de T. M. Nikoláieva «... a unidade das combinações com um tipo de transformações possíveis, em muitos casos, é duvidosa. Veja-se, como exemplo, o grupo das combinações que formam a construção:

Adj. + sredi (no meio) + *Subst. gen.*

1) *Conhecido (izviéstnii) no meio dos sábios,* 2) *visível (zamiétnii) no meio das plantas,* 3) *popular (populiárnii) no meio das crianças,* 4) *à vista (vídnii) no meio das casas.*

O senso comum mostra que o primeiro exemplo está próximo do terceiro, pelo sentido, enquanto que o segundo aproxima-se do quarto. Ao contrário, a aplicação do método transformacional apresenta um quadro completamente inesperado: o segundo exemplo constitui um grupo com o terceiro, porquanto para eles é possível a mesma transformação:

Adjetivo + entre + Substantivo instr.

enquanto que o quarto não pode ser agrupado com o segundo, uma vez que em russo é possível a transformação *ela é visível no meio das casas (evó vídno sredí domóv)* mas não *ela é «visivelmente» no meio das plantas (evo zamiétno sredí dierev'iev)* (*MTLE*, p. 151).

21. Não se têm em vista as excursões de Jolkóvski, sozinho ou em companhia de I. K. Chcheglóv, no campo dos estudos literários, mas sim seus trabalhos lingüísticos, por exemplo: A. K. Jolkóvski e J. A. Meltchuk, «Sobre a possibilidade do método e sobre os instrumentos da síntese semântica» (*Informações técnico-científicas*, 1965, nº 5) e, ainda (deles): *A síntese semântica* (na coletânea *Problemas de Cibernética*, Moscou, fasc. 19, 1967).

Aliás, as declarações fornecidas por I. D. Apresian limitam bastante estas possibilidades[22] e confirmam a fundamentação das restrições dos autores do *MTLE*, I. I. Révzin, no artigo "Análise e síntese transformacionais", também reconheceu que "até agora não foi possível encontrar um critério puramente distributivo para o modelo analítico e dificilmente o será" (*MTLE*, p. 62). No decorrer das transformações manifestam-se "certas significações gramaticais que não existiam nas frases originais" sendo que, para o pesquisador, no momento da formulação das regras da mudança transformacional, só resta a utilização de uma intuição eminentemente lingüística (*idem*, p. 63). I. I. Révzin fornece um exemplo da impossibilidade de se transformar a perífrase gerundiva nos versos de Púchkin:

Tak tiájkii mlat, drobiá stekló, kuiót bulát (Tão pesado malho, triturando o vidro, forja o aço).

Transformações do tipo "tritura o vidro e forja o aço" ou mesmo a mais precisa (refletindo a significação concessiva da perífrase) "embora triture o vidro, forja o aço", do ponto de vista da capacidade de criar algo

---

22. A ligação «entre traços morfológicos e semânticos» existe «em alguns casos particulares e além do mais, quase sempre tornados complexos por exceções» e «ela não é direta»; por isso estuda-se a relação entre a estrutura semântica e a sintática do texto, como a menos complicada possível «presença de elementos irregulares não produtivos» (I. D. Apresian, *Estudo experimental da semântica da língua russa*, Moscou, 1967, pp. 24-25). Apresian precisou propor uma série de condições para a descrição da semântica, descrição esta que exigia a escolha não da palavra, mas de uma expressão predicativa como unidade fundamental da língua, além disso «uma grande quantidade de expressões predicativas deveria ser separada em classes equivalentes entre si, pela equivalência mútua das expressões de predicado que as constituem... Como conseqüência será preciso tentar encontrar regras estandardizadas de transformação (gramática do dicionário)» (*idem*, p. 15). Fica bastante patente a impraticabilidade da transposição de tal gênero de regras em operações com as componentes do texto artístico.

adequado ao texto puchkiniano, as palavras que seguem o dizem bem (*idem* pp. 63-64):

> É suficiente mostrar esta frase nem que seja a dez pessoas diferentes, para convencer-se de quão será contraditória a informação que receberemos em casos semelhantes. Na análise de orações deste tipo, o resultado mais exato só pode ser obtido pelo lingüista que se apoiar em sua intuição particular (idem, p. 64).

Para a tendência transformacional que vê o neo-estruturalismo como um método preciso para a análise da literatura, estas palavras soam como repique funerário. Nem podem ajudar as posições e as regras semânticas sucessivamente expostas por S. K. Chaumian no trabalho de 1971, bem como seus exemplos de traduzibilidade imediata (*i. e.* capacidade de transformação) das perífrases gerundivas (*QF*, p. 68, itens 5.3 e 5.4). Citamos os exemplos de interpretação dados por S. K. Chaumian (transpostos para sua fórmula comum, na mesma página). (Para sua compreensão é suficiente saber que |— é o sinal de traduzibilidade): "A moça ri e dança" |— "A moça dança, rindo" ou |— "A moça ri dançando" (*QF*, p. 683). Achamos pouco possível que os partidários das transformações em literatura, como Kristeva ou o veemente Ricardou, pensem seriamente tentar transformar em perífrase gerundiva (ou inversamente) os versos mencionados.

A transformação experimental alteraria inevitavelmente o valor recíproco complexo dos componentes do texto artístico e, no melhor dos casos, daria origem às seguintes variantes ditas "adequadas": "Tão pesado, o malho//Tritura o vidro e forja o aço", "Tão pesado, o malho//Tritura o vidro, forjando o aço" (o pesquisador-transformista poderia ter reproduzido a própria conservação aproximada da medida do verso ao determinar, no primeiro caso, a substituição da conjunção *e* pela vírgula, no *operandum*).

A incoerência resultante disso é evidente. Entretanto, o problema da impossibilidade, por princípio, de uma transformação gratuita investigatória do texto artístico de um determinado autor (condicionado pela impossibilidade de se sujeitar a literatura às mesmas leis da análise lingüística transformacional), ainda necessita de duas explicações.

Comecemos por um dos trabalhos clássicos para a lingüística transformacional, que se encontra no livro de N. Chomsky, *Lingüística cartesiana,* e que subdivide a atividade discursiva em "the competence" e "the performance"[23]. No primeiro caso trata-se de "uma capacidade lingüística" e o termo às vezes é traduzido por "compreensão"[24]; no segundo — "a atividade lingüística (discursiva)" — é eventualmente traduzida como "fala".

Ambas as traduções, especialmente a primeira, são por demais genéricas; a tradução habitual do primeiro termo pela forma latina, em vista do outro sentido de "competência" e da inexistência da palavra "performance" no latim clássico, é inconveniente. Consideramos prejudicial a busca "superinteligente" de uma "ultraprecisão" inexistente e muitas vezes falsa, da tradução dos sons de outra língua (que já nos levou a encontrar "Colambia" em lugar de "Columbia"* etc.) mas, como exceção, por enquanto conservamos os termos *kompitns* e *performens*.

---
23. *Cartesian linguistics*, New York, 1962, p. 2.
24. I. D. Apresian, *Estudo experimental da semântica do verbo russo*, p. 20.
* O autor cita outros exemplos que não teriam sentido quando transpostos para o Português. Seriam semelhantes ao fato de, por exemplo, encontrar-se escrito «Sau Paulu» em lugar de São Paulo.

Sem estas categorias não há nem transformação lingüística, nem engendramento, pois o sentido teórico (e prático) de tais operações consiste na procura e na reconstrução da comunicação, partindo-se da análise — a *kompitns* — para a síntese — a *performens* — (conforme B. A. Uspiênski, S. K. Chaumian e outros — através do constructo mediador da língua-padrão ou língua-genótipo).

Quando lidamos porém com a concretude individual do texto artístico de um autor, a *kompitns* e a *performens* (supondo estas categorias como convencionalmente aceitas) são inseparáveis no texto. Nele, elas só podem ser desmembradas se entrar em jogo a *diacronia, i. e.*, se for conhecida, em maior ou menor grau, a história do autor do texto artístico (por exemplo, a alternação de variantes autorais).

Somente neste caso pode ser examinado o caminho que vai da *kompitns* (do autor) até a *performens* (também do autor!). Poderá ser investigado, digamos convencionalmente, seu engendramento; investigado e não efetuado pelo intérprete, pois só o autor pode realizá-lo.

Em outras palavras, mesmo do ponto de vista da tendência transformacional neo-estruturalista literária, se ela, como é de se esperar, for conseqüente, devido à ligação entre *kompitns* e *performens* no texto artístico, este, depois do autor, pode ser estudado, interpretado, mas nunca transformado (pela já referida consideração principial sobre o tipo de ligação), e não pode ser submetido por ninguém a uma transformação experimental gratuita.

Aquilo que foi concluído *a priori* pode ser apontado também em exemplos concretos.

A indivisibilidade dos aspectos interdependentes que impedem a transformação experimental torna-se ainda mais complexa quando é preciso abordar o texto artístico em termos de análise literária — no exemplo em questão, os versos de Púchkin sobre o pesado malho. Neste caso não se pode incorrer no experimento contraditório de transformá-los em perífrase gerundiva, a qual, conforme se notou no exemplo dos trabalhos de I. I. Révzin e S. K. Chaumian, não é realizável sem o auxílio da intuição, mesmo quando se exige o mínimo de exatidão semântica. Comecemos por um exemplo de Púchkin que aparentemente favorece a tendência transformacional. Embora não constituam duas linhas completas, mas uma linha e meia, os versos são percebidos isolados do contexto, como uma sentença. Entre as pessoas que os conhecem e que querem saber seu significado, a maioria esforça-se logo por lembrar onde e exatamente por qual motivo os teria Púchkin escrito.

Entretanto, do ponto de vista da crítica literária, para esclarecer a não contextualidade destes versos é recomendável dirigir-se diretamente ao seu contexto e portanto a seu aspecto diacrônico. Estes versos, pela quantidade impressionante de trabalho que o autor desenvolveu ao elaborar *Poltava* (as "outras redações e variantes", no caso, ultrapassam muitas vezes o texto e excedem de muito, por seu volume, o material correspondente dos outros poemas de Púchkin) sofreram uma única "transformação" autoral (*i. e.*, real).

Os versos, que constituem hoje as linhas 148-149 do Primeiro Canto, julgando-se pela assinatura, foram projetados e, parece-nos, acabados no mesmo dia em que foi iniciada *Poltava,* ou seja em 5 de abril de 1828. Eles entraram na estrofe I do primeiro esboço (*Bilá ta smútnaia pará* ... — Era aquele tempo turbulento) e a encerravam.

Os futuros versos I, 148-149, que são aqui estudados (daqui para frente os denominaremos convencionalmente "protoversos"), foram, num primeiro momento, projetados da seguinte forma:

> Tak mláta tiájkovo udári
> Drobiá stekló kuiút bulát[25].
> (Assim do pesado malho os golpes
> Triturando o vidro forjam o aço.)

Mais tarde, estes versos passaram a constituir a quadra final da ex-primeira estrofe (hoje XIII) do Canto Primeiro:

> No v iskuchêniakh dólgoi kári
> Pereterpiév sudiéb udári,
> Okriépla Rus'. Tak tiájkoi mlat,
> Drobiá stekló, kuiót bulát.
>
> I, 146-149; v. V, p. 23
>
> (E nas provações da longa pena
> sofrendo os golpes dos destinos
> Fortaleceu-se a Rus'. Assim o pesado malho
> Triturando o vidro, forja o aço.)

Embora parte dos leitores muito tempo após a leitura de *Poltava,* vivenciem estes versos (metade da linha 148 e a linha 149) como uma sentença isolada, eles começaram a ser percebidos assim porque foi, no autor, justamente este, o caminho da *kompitns* à *performens*. Em outras palavras, o mesmo caráter isolado e sentencial foi colocado por Púchkin no contexto e foi por ele reforçado no processo de elaboração ao qual o submeteu e, acima

---

25. A. S. Púchkin, *Obras completas,* em 17 volumes, Moscou-Leningrado, edição AN.URSS, 1937-1959, vol. V, p. 175. As citações futuras serão retiradas desta edição, com a indicação do volume e da página.

de tudo, no resultado da reconstrução prosódica e gramatical do "protoverso" 148.

O caráter convencional do significado, não apenas do contexto sincrônico, mas ainda do *diacrônico,* não pode ser computado pelas posições da tendência transformacional do neo-estruturalismo literário, embora ele esteja compreendido entre as causas que explicam porque I. I. Révzin, como lingüista-estruturalista, tenha recusado transformar a perífrase gerundiva do verso 149, sem a ajuda da intuição.

A tendência transformacional torna menos sensíveis os métodos dos "clássicos" do estruturalismo e dificulta a aplicação exata das categorias nela elaboradas. Embora não se possa considerar a estrofe mencionada enquanto ainda está sendo engendrada pelo autor (assim como qualquer outra obra de arte) como um sistema fechado onde a mudança de uma parte desencadearia um reagrupamento global, mesmo assim, no sentido lato do termo, ela não deixa de ser um sistema. A influência recíproca de suas componentes confere a cada uma delas um valor suplementar, que vai mudando no decorrer do engendramento do texto pelo autor. A efetuação, por parte do pesquisador, de uma transformação arbitrária, não é possível, porque ela não pode abranger todas as séries das intersignificações.

Por exemplo, nos "protoversos" 148-149, além do caráter gerundivo, aparece a repetição, que produz um efeito propositadamente monótono, do som *a* (que depois das consoantes brandas se escreve *"ia"*) em cinco posições acentuadas (das oito posições possíveis). Esta repetição permite a leitura dos versos num tom solene e sentencioso. E ainda deve-se notar que com o começo retórico do "protoverso" 148 por meio do termo *tak* (assim) foi introduzida uma acentuação espondaica suplementar na primeira unidade métrica, enquanto que nas terceiras unidades caem os acentos jâmbicos normais: ou seja, seis dos sete acentos tônicos incidem sobre a letra *a*!

Não era preciso conservar rigidamente a distribuição dos acentos na transformação dos "protoversos" e na conseqüente criação da quadra, mas o poeta manteve a idéia prosódica, compensando as perdas tanto com o fato que toda a sentença fica como que condensada com a correspondente elevação do valor dos elementos semânticos e tônicos, tanto pelo fato que todas as quatro rimas (e portanto os acentos principais) caem no *"a"*. Além do mais, o efeito é intensificado pelo agrupamento das rimas com a adoção do par de rimas masculinas em *a* em posição final (diante da forma geralmente livre dos finais dos versos de *Poltava*).

Finalmente, introduzindo o *enjambement* no verso 148, o poeta não apenas conserva o espondeu, mas também reforça bruscamente sua expressividade rítmica e, colocando-o na terceira unidade, forma inusitada no jambo russo, orquestra os três acentos do *a* com as três aliterações sucessivas nas quatro sílabas do semiverso (*Ták tiájko mlát*).

Estas particularidades prosódicas que não podem ser tomadas em consideração no caso da transformação experimental da perífrase gerundiva do verso 149, condicionaram o valor suplementar dos elementos dos versos 148-149 e inclusive o de sua perífrase gerundiva.

O caráter de sentença dos versos sobre o malho pesado é reforçado também pelo fato que, no *enjambement* quebrado do verso 148, ambos os sujeitos, *Rus'* e *mlat* salientados pelos acentos prosódicos, configuram cada um deles construções gramaticais com vozes verbais diferentes que se opõem bruscamente, umas às outras. A oposição torna-se ainda mais marcada, quando se verifica que os contrapostos *Rus'*—*mlat* se encontram igualmente ligados pela forma arcaica (embora seu caráter arcaico seja de matiz diverso): *Rus'* entra em *Poltava* neste único caso; em todos os restantes, inclusive na estrofe dada acima (I, 139, "Jovem Rússia") fala-se sempre em Rússia (I, 36; I, 408; III, 289; III, 353); *mlat,* de um modo geral, nas obras de Púchkin (naturalmente, são considerados apenas os textos finais) encontra-se somente aqui (*mólot* e *molotók* (sinônimos de *mlat* (martelo, malho) encontram-se, respectivamente, 2 e 3 vezes). Não se deve explicar *mlat* pela premência da rima com *bulát,* uma vez que nos "protoversos" 148-149 estas palavras não rimavam e é preciso lembrar que ambas as fases do *"engendramento"* de *mlata... udári* (golpes) → *mlat* estão ligadas com os mencionados momentos prosódicos e com a distribuição de acentos nas letras *"a"*.

Nem é possível submeter esta aguda contradição prosódico-sintático-semântica, em suas relações com o contexto sincrônico e diacrônico, a qualquer regra transformacional de significado mais geral da lingüística estrutural ou do neo-estruturalismo literário.

A pretensão do neo-estruturalismo para a exatidão não fica reforçada pela tendência transformacional, mas sim abalada. Os estudos literários que se baseiam na lógica do texto e, em particular, os que se apóiam nos contextos sincrônicos e diacrônicos podem ser cientificamente mais exatos do que os neo-estruturalistas, pois em literatura a "imagem" é *mais exata* que o "signo"!

Por que os versos sobre o malho que tritura o vidro e forja o aço se tornaram uma sentença? Antes de mais nada, porque na unidade de sua construção semântica, prosódica e gramatical eles contêm, como reflexo das contradições da história, a apologia de seu movimento progressivo e, neste aspecto, expressam o sentido geral de *Poltava,* prenunciando ao mesmo tempo *O Cavaleiro de Bronze* ("para onde corres altivo corcel,// e onde deixas os cascos?").

A série semântica: pesado-malho-forjar-aço (destacados pela série prosódica ou seja pelos acentos e pelas rimas em "a") reúne as idéias de poder e de democratismo[26].

A comparação com a traduzibilidade das perífrases gerundivas sobre "a moça que dança e ri" torna-se deslocada. Ao contrário da identidade prevista por S. K. Chaumian (*QF,* p. 68), em Púchkin absolutamente não há ações intercambiáveis. "Forjar aço com um malho pesado" é uma verdadeira realidade de produção, com a série que pode ser-lhe associada, do caráter construtivo do trabalho e o poder do trabalhador, seja ele construtor, seja ele forjador de armas. "Triturar vidro com malho pesado" — fora do contexto, fora de sua subordinação à "forja do aço", é uma tarefa sem sentido. O caráter gerundivo de "triturando o vidro" não é substituível por "forja o aço". Tal arranjo já ocorreu no "protoverso" 149.

Além do mais, a correlação do verbo na terceira pessoa com o gerúndio, não é que fosse precisa aqui apenas para exprimir um significado progressivo e diferençar as

---

26. A fim de se perceber o democratismo desta idéia é suficiente tentar a «transformação» do «malho» num instrumento que possua, sistematicamente, também uma aplicação não de trabalho, por exemplo, o «machado» (vide *Poltava,* II, pp. 421-422: «O machado brilhou num ímpeto / e a cabeça caiu»).

ações como principal e secundária, mas para diferençá-las também como necessárias e não necessárias. Os versos de Púchkin não significam que quando forjam o aço com um malho pesado necessariamente tenham que triturar o vidro, mas sim, e antes de mais nada, que o aço agüenta os golpes de um malho pesado e se forja, enquanto que o vidro não agüenta e se estilhaça.

Não é possível prescindir da consideração do nexo com a história, na análise extra-semiótica dos versos 148-149, e de seu contexto sincrônico e diacrônico. *Poltava* foi criada no começo do governo de um czar que havia acabado de enviar à forca e à Sibéria a flor da *intelligentsia* nobre revolucionária ("E eu podia estar lá pendurado, feito um bobo", escreveu o poeta). Púchkin que odiava Nicolau I mas que, após o levante, não acreditava numa breve libertação da Rússia, publicou, pouco após haver começado *Poltava*, os poemas que ele denominou *Estrofes* ("Stansi") (*Mensageiro moscovita*, 1828, n.º 1), nos quais tentava, apelando para a vaidade do czar, colocá-lo frente a frente com o rumo dos acontecimentos mais funestos para o país. Por outro lado, o poeta, agora já em luta com o czarismo, encarnando a Rússia anterior, pretendia mostrar o principal caminho da Pátria, simbolizado em parte, para ele, pelas reformas de Pedro, o Grande: demonstrar e opor este rumo à concepção militar-servilista da história, implantada naqueles anos, de acordo com a qual Nicolau como que por sua vez encarnaria a Rússia futura.

Não se deve ignorar, por ser um problema extra-semiótico, a necessidade desta rígida dissociação do czarismo que condicionou particularidades essenciais no contexto sincrônico e diacrônico dos versos considerados de Púchkin.

A análise transformacional não tem meios de explicar porque os matizes de significado e de valor dos versos 148-149 do I Canto de *Poltava* dependem daquela mudança à qual foi submetido o verso 146. Inicialmente, se excluirmos algumas particularidades e o desenvolvimento direto da variante, que não foi obtido, (vide vol. V, p. 177; vide igualmente p. 175-176 e 180) o verso 146 lia-se assim:

Mas, nos tormentos de uma longa pena...

Naturalmente, pelo contexto do poema e da estrofe era evidente (em todas as etapas da correção de Púchkin) tratar-se dos "tormentos" de fora, aos quais foi submetida a jovem Rússia por Carlos XII. Entretanto, os versos 146-149, se fossem retirados do poema, poderiam ser insidiosamente reinterpretados como certo tipo de aprovação dos "tormentos de uma longa pena" impostos por Nicolau, os quais, segundo esta versão, estariam fortalecendo o país. Por isso acudiu a Púchkin substituir "tormentos" por uma palavra à primeira vista menos clara e menos figurativa — "Mas, nas *provações* de uma longa pena..."

A palavra "provações", tomada aqui num sentido peculiar ("Provações sofridas por alguém, por alguma coisa, *percalços, infortúnios que exigem coragem, firmeza espiritual*" — (no plural)[27], a diferença de "tor-

---

27. A definição da palavra por este sentido e não pelo significado mais habitual («sedução, algo que encanta, que atrai») foi retirada do livro: *Dicionário da língua de Púchkin*, vol. II, Moscou, 1957, pp. 242 e 243. Os grifos são meus.

mentos", possui também um sentido ativo ("...percalços, *que exigem coragem...*"), diante do qual já não pode ficar obliterado o caráter progressivo, para não dizer revolucionário, da sentença sobre o malho pesado.

A análise crítica extraliterária que permite o estudo do contexto diacrônico — no caso dado, daquela alteração que Púchkin introduziu no verso 146, mais recente, contribui para elucidar as particularidades dos versos 148-149, com sua perífrase gerundiva, que não cede às transformações de I. I. Révzin, e diante da qual falhou a regra semântica que serviu para as transformações da oração "a moça que dança e ri".

A palavra "tentação"* encontra-se 17 vezes nas obras de Púchkin e (se for excluído um caso semântico pouco claro, em prosa—XI, 268), apenas uma vez ela é empregada, em poesia, com a mesma conotação ativo-heróica com a qual surge no verso 146 do Canto I de *Poltava*.

A unicidade do emprego torna mais fácil a obtenção e a definição do vasto contexto poético-filosófico no qual as "tentações" (apenas no plural) intervêm em Púchkin como "percalços que exigem coragem...".

Os versos sobre o malho pesado podem ser inseridos num contexto explicativo distante e, pela envergadura de Púchkin, significativo. Podem ser vistos como o elo de uma série que se estende desde o degredo dos decembristas para a Sibéria (1827) até o poema inacabado de 1834: "Eu fiz-me homem por entre tristes fúrias". Neste mesmo ano, Púchkin, além da "Canção dos eslavos do poente" escreveu cinco poemas, nenhum dos quais publicou em vida, embora

* No plural e no caso particular de *Poltava* traduzimos como «provações».
(N. da T.)

fossem coisas geniais: "É tempo, amigo meu, é tempo...",
"Entre nós ele viveu...". O poema "Eu fiz-me homem..."
contém uma reflexão amarga e sábia e "as tristes fúrias"
e "os dias de amargas provações" aludem claramente ao
levante decembrista e a seu engendramento. Reproduzimos
o poema, dando em parênteses quebradas as variantes precedentes dos versos relacionados com o conceito de "provação":

> Ia vosmujál [sredi] petchálnikh bur'
> ⟨Ia vosmujál sred' górkikh iskychênii⟩
> ⟨Ia vosmujál sred' búrnikh iskychênii⟩
> I dniéi móikh potók, tak dólgo mútnii,
> [Tepér' utíkh] [dremótoio minútnoi]
> I otrazíl nebiéssnuiu lazur'
>
> [Nadólgo li ?... a kájetsa prochlí
> Dni mrátchnikh bur', dni gór'kikh iskuchênii].
>
> Eu fiz-me homem [por entre] tristes fúrias
> ⟨Eu fiz-me homem entre amargas provações⟩
> ⟨Eu fiz-me homem entre provações tempestuosas⟩
> E a torrente de meus dias, tão longamente turva,
> [Acalmou-se agora] [no sono de um minuto]
> E refletiu o azul do firmamento.
>
> [Será por muito?... Parecem ter passado
> Os dias de sombrias tempestades, os dias de amargas
> provações].
>
> vol. III, parte 1-2, pp. 829 e 940

O poema pode servir de chave para a mencionada estrofe de *Poltava*. Isso é confirmado pelo fato de que além da própria palavra "provações", outra construção idêntica: "amadurecer nas provações[28] — "tornar-se homem entre

---

28. ... Quando a jovem Rússia (139) ... amadurecia... (141) ... nas provações (146) ... Fortaleceu-se a Rus'... (148).

as provações", num sentido heróico-ativo em ambos os casos, é repetida em relação à Rússia e a Púchkin.

Semelhante "transformação" dos versos sobre o malho pesado é do autor, e como tal, somente ela é possível no texto artístico: *ceterae igitur scribarum vanitas sunt*.

Construir uma fórmula de acordo com a tendência transformacional do neo-estruturalismo literário e fundamentar um modelo de transformação de perífrase gerundiva nos versos de Púchkin sobre o malho pesado não é possível, pois semelhante modelo deveria levar em conta um número infindável de fatores hierarquicamente inseparáveis e de níveis diferentes.

Estas dificuldades insuperáveis surgem na abordagem de qualquer texto artístico e obrigam os adeptos do neo-estruturalismo literário, presos à insistente propaganda do método transformacional, dos genóticos e dos fenótipos em literatura, a abandonar num certo momento, a experimentação pela prática com este assunto, fatal para a tendência transformacional.

Num dos livros concluídos paralelamente por J. Kristeva, a transformação e a geração aparecem tão-somente como engendramento de uma fórmula (o artigo mais importante de Kristeva tem de fato o título "L'enjendrement de la formule")[29]. A estudiosa, que dedicou um livro inteiro (*TR*) à análise transformacional do romance, escrito diante da necessidade de uma resposta direta quanto aos caminhos de transformação (dada em *RS*, livro publicado um ano antes de *TR*, mas redigido mais tarde), critica N. Chomsky, que havia exaltado no livro precedente e escreve:

29. J. Kristeva, *RS*, pp. 278-371.

a gramática gerativa, no sentido próprio do termo, não gera absolutamente nada: ela apenas formula o princípio da geração, postulando uma estrutura profunda que não passa do reflexo arquetípico da *performance*...[30]

Ao atacar N. Chomsky por seu conceito demasiado cartesiano de "estrutura profunda", no mesmo momento em que era publicado o livro *TR,* postulando a transposição das teorias de N. Chomsky para a literatura, J. Kristeva, em *RS*, nega tanto as "estruturas profundas" quanto a correlação "signicante-significado", sobre a qual havia sido edificado o estruturalismo. Ela reconhece apenas a infinita cadeia dos significantes, além de cada um dos quais não há nada mais a não ser o próximo significante:

o genotexto não é uma estrutura, mas também ele não poderia ser o estruturante, pois ele não é *aquilo* que forma nem *aquilo* que permite à estrutura de ser... O genotexto é o significante infinito, que não poderia "ser" um "aquilo" porque ele não é um singular; seria melhor designado como "os significantes" plurais e diferençados ao infinito...[31]

Mas, não se encontrava J. Kristeva a caminho para uma dialética materialista?

Não: todo estudo do significado torna fundamentalmente para ela, as ciências humanas e inclusive a linguística "grosseiramente substanciais e *coisistas,* ou melhor dizendo, fenomenológicas"[32].

Este menosprezo para com o "fenômeno", para com a manifestação, demonstra que a tendência transformacional liga-se com a tendência filosófica do neo-estruturalismo li-

---

30. Julia Kristeva, *RS*, p. 282. Para maior clareza terminológica, as citações de *RS* foram traduzidas diretamente do francês. (N. da T.)
31. *Idem*, p. 283.
32. *Idem*, p. 280 (em francês: «chosiste», N. da T.).

terário. Para onde levam estas duas tendências? Não seria o caso de se responder, como Kleist — "Ins Nichts!..."?

3. *A tendência filosófica do neo-estruturalismo literário*. Fazendo-se o balanço das opiniões de M. Foucault, J. Lacan e dos outros pesquisadores mencionados no começo do artigo, F. Wahl é decididamente ainda mais rígido do que Kristeva, a qual no artigo "O engendramento da fórmula" sublinha o caráter auto-suficiente dos sistemas sígnicos dos epistemas, os quais não possuem outro conteúdo a não ser si próprios.

Em todo caso é claro — escreve Wahl — que o estruturalismo nada tem a interpretar nem a "compreender": nada para compreender mas tudo para transformar. Ao mesmo tempo — continua Wahl —, é dada uma resposta a toda identificação, mesmo mediata, do binarismo com um encadeamento de acordo com o modelo representativo (e, deste modo, acrescentamos nós, pela representação, *die Vorstellung*, para o conhecimento — N.B.). É preciso separar, com todo rigor, em qualquer lugar, os sistemas de signos da correlação com os "conteúdos" da consciência... *O pensamento deixou de ser o campo e o modelo pertinente para construir o semiológico*... Ruptura fundamental, para a qual vemos continuamente voltar os hesitantes, como que tateando: o Simbólico não é do Ideal mais do que ele não é do Real[33].

Do ponto de vista da sucessiva tendência filosófica de Foucault e de Wahl, o principal

perigo que paira sobre o saber estrutural é de recair no nível mais tradicional, mas consolador (para não dizer, acrescenta ironicamente Wahl, mais "profundo"), das ciências humanas: a ameaça de voltar a ser representativo[34].

33. F. Wahl, *QS*, pp. 328-329. (Para maior clareza terminológica, todas as citações de *QS* foram igualmente traduzidas a partir do original francês. N. da T.).
34. *Idem*, p. 336.

À luz da formulação do problema — "ou a estrutura ou o ser"[35] — e à luz da formulação "que exclui todo hegelianismo" (isto é, exclui a idéia do caráter conteudístico do fenômeno) da orientação do funcionamento dos sistemas semióticos não em profundidade, mas ao contrário para sua superfície"[36] — é preciso, novamente, aproximar-se de uma avaliação e de uma crítica das categorias do "significado-significante" e de sua aplicabilidade aos estudos literários.

Estas categorias, em sua compreensão "clássica" saussuriana e as aplicações que surgiram dentro do neo-estruturalismo filosófico subseqüente em suas duas modificações:

Uma coisa — escreve Wahl, polemizando com o estruturalismo saussuriano "envelhecido" — é afirmar, como fazem os lingüistas, que certo significante representa certo significado para um dado sujeito; outra é afirmar, como faz Lacan que "um significante é aquilo que representa o sujeito para um outro significante"[37].

Wahl define claramente a necessidade do desligamento entre o estruturalismo e a concepção da realidade ou o estudo de seus fenômenos:

Fazer da relação significante/significado uma relação representativa, seria em verdade projetar sobre o signo aquilo que dele foi excluído, no instante em que a língua foi reconhecida como diferente do pensamento; seria franquear a linha da oposi-

35. *Idem*, p. 320.
36. *Idem*, p. 352.
37. *Idem*, p. 396. Livro de J. Lacan mencionado: *Écrits*, Paris, 1966, pp. 806-807, 816-819. (Trad. bras.: *Escritos*, São Paulo, Perspectiva, 1978.)

ção que estabeleceu a semiologia como disciplina autônoma: oposição que nós escreveremos como:

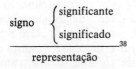

Na avaliação das possibilidades da análise estrutural do texto literário, é preciso levar em conta as teses aqui expostas que testemunham a recusa, por parte do neo-estruturalismo subseqüente, de conduzir a análise além dos limites daquela série de "significantes", na qual os "significados" funcionam tão somente como elos convencionais, indispensáveis para sua construção. À luz da oposição do signo, *em ambos seus aspectos, ao referente* ("representação" em Wahl), são em princípio irrealizáveis os apelos de R. Barthes no ensaio "Crítica e verdade" no sentido de criar, baseado no estruturalismo, a primeira autêntica "ciência da literatura" "cujo objeto não é um ou outro sentido, mas a própria obra com muitos sentidos"[39].

A oposição, representada graficamente com clareza por F. Wahl, de ambos os aspectos do signo à representação, refere-se não apenas ao estruturalismo, mas também reflete um retrocesso fundamental da filosofia burguesa (no caso dado, sob o aspecto da tendência filosófica no estruturalismo contemporâneo), desde os tempos da crítica desta por V. I. Lenin em *Materialismo e empiriocriticismo*. Naquela época, a filosofia burguesa retrocedia da matéria e das

---

38. *Idem*, p. 329.
39. R. Barthes, *Critique et verité*, Paris, 1966, p. 156. (Há tradução em Português pela Editora Perspectiva, N. da T.).

coisas em si para os fenômenos; agora, no limiar dos anos 70, ela renuncia às próprias representações e ao pequeno degrau que a ligava com o conhecimento dos fenômenos. Como conseqüência desta "defenomenologização", o estruturalismo filosófico, especialmente claro no livro de Michel Foucault, *As palavras e as coisas*[40], torna os epistemas em geral uma função da ciência, uma estruturalização de estruturas particulares. Repetindo os versos aforísticos de Maximilian Volóchin, que penetrou mais profundamente que qualquer outro poeta, com o poema "Pelos caminhos de Caim", na contradição do progresso da ciência do século XX, é possível dizer: "A serpente da bíblia pegou-se pela cauda".

As modificações da tendência filosófica no neo-estruturalismo podem ser submetidas a uma crítica eminentemente filosófica, a qual terá que avaliar[41], ideologicamente, a passagem da fenomenologia de Hüsserl para a idéia da "defenomenologização" do epistema, idéia esta realizada, em parte, nos últimos trabalhos do próprio Hüsserl: "Lógica formal e transcendental", "Origem da geometria" e "Experiência e juízo" *(Meditações cartesianas)*. É um problema análogo ao que encontra diante de si a crítica filosófica que quiser avaliar o desenvolvimento da psicanálise de Freud a Lacan.

Separar o signo da realidade implica também em separá-lo do indivíduo, *i. e.*, leva à desumanização do estruturalismo literário e, portanto, uma vez que isso não é

---

40. *Les mots et les choses*, Paris, 1966.
41. Na ciência soviética um trabalho deste tipo encontra-se, por exemplo, no livro de Z. M. Kakabadje, *O problema da «crise existencial» e a fenomenologia transcendental de E. Hüsserl*, Tiflis, 1966 e *A filosofia burguesa contemporânea* de N. V. Motrochilov (cap. XII), Moscou, Ed. MGU, 1972.

agradável para uma parte dos estudiosos filiados à tendência filosófica, cujas intenções são subjetivamente nobres, eles vêem-se ameaçados pelo perigo de serem incluídos na massa dos escribas para os quais o sábado é mais caro que o homem.

A idéia de um neo-estruturalismo auto-suficiente, fechado e desligado da realidade, de acordo com sua tendência filosófica, manifesta evidentemente sua inconsistência quando passa a lidar com o drama. Se o signo refere-se a um protagonista de uma tragédia então é relativamente fácil revelar a instabilidade da abordagem lacaniana. No drama, onde existe a substituição objeto-sujeito, não é possível deter-se, digamos, como sujeito, em Julieta, cujo subconsciente também é segundo Freud unicamente real, pois Julieta, nesta acepção, é subitamente substituída no diálogo por Romeu. E tratar assim não a personagem mas o autor é ainda mais arriscado, ou então o sujeito da etapa sucessiva já não é mais Shakespeare, mas, por exemplo, Lacan, e seu sucessor — o autor destas linhas que trata de Lacan, e em seguida — o leitor que lê este artigo, e assim por diante.

No drama (caso se trate daquilo que está no lugar do personagem, se ele for considerado como signo) não se revela a hierarquia formal da cadeia dos significantes, mas a dialética rica em conteúdo da forma em sua relação com a essência, que se realiza em arte pela figuratividade *(Bildhaftigkeit)*, ou, se aplicarmos a terminologia semiótica — a dialética do signo —, que aparece durante a oposição estrutural do significante e do significado.

A dialética da imagem *(i. e.,* não da personagem, mas da imagem estética — *Bild)*, em sua relação com o signo, é demonstrada no presente artigo, quando possível, com exemplos de grande universalidade, retirados de obras de Shakespeare e de Púchkin. Do ponto de vista da polêmica com a tendência filosófica do neo-estruturalismo, a tragédia do Impostor em *Boris Godunov* pode legitimamente ser tratada como uma "ação sobre o signo". Na verdade, para os que o cercam, o Impostor aparece originalmente, não como imagem *(Bild)* mas como um dos aspectos do signo, como nome-*conotatum*. De acordo com a recente teoria lógico-formal dos nomes próprios de G. Frege e Alonso Church[42], próxima dos "clássicos" do estruturalismo, é possível, em casos semelhantes, destacar-se do conteúdo objetivo do nome *(denotatum, Bedeutung)*, próximo da definição ou da imagem, um significado acessório, a "conotação", um sentido suplementar inserido em manifestações concretas *(sense, Sinn)*. A estabilidade desta divisão lógica[43] não está obrigatoriamente ligada a algum engano intencional, mas pode ser também o resultado de um grande número de outras causas, por exemplo, de uma abordagem especial, de um interesse unilateral e mesmo do erro trágico de uma população, que Púchkin reproduziu em *O cabo-de-guerra,* em relação a um indivíduo grande e bom como Barclay. Nas palavras de Púchkin que destaca-

---

42. Vide A. Church, *Introdução à lógica matemática,* aos cuidados de B. A. Uspiênski, Moscou, 1960, pp. 17-20 e 341-346. Cf. R. Barthes, *ES*, pp. 163-168.

43. O filólogo deve ter em vista que a terminologia lógica especial contradiz aqui o emprego de certas palavras tanto inglesas quanto francesas, onde *dénoter (to denote)* corresponde antes ao termo lógico «conotar», revelar exteriormente qualquer particularidade, evidenciar. Por exemplo, em Descartes, nas *Meditações metafísicas* a respeito da imperfeição das coisas («... toutes les choses... dénotent quelque imperfection» III, penúltimo parágrafo); em Shakespeare, no soneto CXLVIII, onde aquilo que o amor «doth well denote» — have no correspondance with true sight», ou particularmente em *Hamlet* (I, 2, 76-83) onde Hamlet diz «todas as aparências, os aspectos, os sinais, os pesares / não podem me expressar verdadeiramente» («... can denote me truly»). A esta reflexão sobre Hamlet voltaremos mais adiante.

mos a seguir, ele separou de modo brusco e contrapôs um ao outro o *denotatum* (denotação) objetivo ("em teu nome") e sua conotação encoberta ("som alheio"), limitada e falsa, sem levar em consideração a exatidão sígnica:

> I v *ímeni tvaióm zvuk tchújdii*[43a] ni vsliubiá...
> Naród, taínstvienno spasáemi tabóiu...
>
> E em *teu nome*, não amando *o som alheio*...
> O povo, por ti secretamente salvo...
>
> III-1, p. 379.

A destruição da correlação entre conotação e denotação pode, de acordo com Shakespeare, levar a uma desproporção trágica, na imagem "ferir o nome". Hamlet, ao morrer, diz a Horácio: "Oh, amigo, que nome ferido *(what a wounded name)* // Os segredos todos ficarão velados atrás de mim!" (V, 2, 344-345).

Voltando agora a *Boris Godunov*, é preciso dizer que para os protagonistas que não testemunharam a cena do mosteiro de Tchúdovo e para os leitores a descoberta do signo do Impostor, sua deconotação, sua concretização na imagem do herói da tragédia, dá-se justamente na sua dualidade (Talvez seja ele o Dimitri verdadeiro // Talvez seja ele o Impostor...) (cena XXI, estrofes 16-17, vol. VII, p. 93) e na sua relação com a realidade histórica.

A "signicidade" inicial do Impostor é formulada nitidamente na cena X-I, onde Boris furta-se ao perigo que provém do pretendente, e o designa por meio de conotações (que são grifadas por mim no texto) que deveriam mais uma vez assegurar ao próprio czar que o *czariévitch**, como denotação, não existe:

43a. O cursivo das citações é sempre meu, a não ser onde for indicado (N. B.).

* Filho do czar. (N. da T.)

No kto je on, moi grózni supostát?
Kto na miniá? *Pustóie ímia, tien'* —
Ujéli *tien'* sorviót s miniá porfiru?
Ili *zvuk* lichít ditiéi maíkh nasliédstva?

Mas quem é ele, meu terrível inimigo?
Quem contra mim? *Um nome vazio, sombra* —
Será que a *sombra* vai arrancar de mim o manto?
Ou um *som* privar meus filhos de herança?
X, 147-150, v. VII, p. 49.

A "signicidade" do Impostor é sublinhada igualmente pelo emprego insistente não de nomes, mas de pronomes, por exemplo, nas primeiras palavras de Boris — na cena do palácio do czar:

On pobejdión, kakáia pól'za v tom?
Mi tchétnoiu pobiédoi uventchális'.
On vnov sobrál rasséiannoie vóisko
I nam so stien Putivlia ugrojáet.

Ele vencido, que vantagem nisso?
De vitória inútil coroamo-nos.
Ele reuniu de novo as tropas esparsas
E dos muros de Putivl' nos ameaça.
XX, 1-4, v. VII, p. 86

Esta "signicidade" rebaixa e oprime o Impostor como personalidade:

Ni govorí chto *san,* a ni miniá
Isbrala ti...
Ia ni, khotchú dielít'sa s *mertvetsóm*
Liubóvnitséi, *iemú* prinadlejáchtchei.

Não me digas que ao *título* e não a mim
Tu escolheste...
Eu não quero partilhar com o morto
A amante que *lhe* pertence.
XIII, 80-81, 91-92, v. VII, pp. 60, 61.

Dimitri não pode furtar-se a um "signo" morto, pois, mesmo que não esteja no "signo" como tal, sua força, a "conotação", o impeliu para a correnteza da história ("A *sombra* do Terrível me adotou // Dimitri da tumba nomeou // Sublevou os povos *a meu redor*... — XIII, 171--173, v. VII, p. 64). Na atitude dual conferida pelo poeta ao *signo* Impostor (ao nome *czariévitch*), revela-se a compreensão puchkiniana da complexidade da imagem do indivíduo que agitou a Rússia e que atraiu para seu lado "a raça rebelde dos Púchkin"[44], do ativista, cujo segredo até hoje não foi descoberto, do homem conhecido apenas como Dimitri, o Impostor, e que Boris expôs ao escárnio da história sob um nome aparentemente indecente e plebeu para um pretendente ao trono, o "contra-signo" do herdeiro do czar: — Grichka Otrépiev***.

44. Estamos pensando não somente nas palavras de Boris: «Detesto a raça rebelde dos Púchkin» (X, 56, v. VII, p. 45), e na ajuda de dois Púchkin, Afanasi Mikháilovitch e Gavril Grigórievitch, ao Impostor, de acordo com a tragédia, mas também, na medida em que é possível julgar, nos dados não conhecidos pelo poeta, sobre a nomeação por parte de Dimitri, para o posto de comandante do exército (além de G. G. Púchkin, que recebeu depois um lugar na Duma e o título de Sokólnitchi*) de mais dois Púchkin, cabeças de estirpe, Ivan Mikháilovitch (o Grande) e Timoféi Semiónovitch — antepassado direto do poeta. Documentos da época sobre a rebelião, estudados no notável trabalho de S. B. Vesselóvski, *As origens e os antepassados de A. S. Púchkin*, mostram o papel desempenhado por G. G. Púchkin no movimento popular moscovita, na véspera do advento de Dimitri: «Gavrílo Púchkin e Naum Pletchéev, chegando a Moscou, com pergaminhos, e reunindo-se aos camponeses, primeiramente na aldeia de Krásnoie, entraram na cidade, e muita gente agregou-se, e, em praça pública, deram fé a estes pergaminhos e mandaram procurar o boiardo na cidade». De outra fonte (inimiga): «Gavrila Púchkin conseguiu fazer-se convidar por Rastriga** para ir a Moscou tomar parte na usurpação... Chegando a Moscou, encantou a corte moscovita e levou-a a prestar juramento a Rastriga...» Vide S. B. Vesselóvski, *Estudos da história da classe dos servos da gleba*. Moscou, 1969, pp. 110-111 *et. seq*.

* Boiardo da corte, encarregado da caça com falcão, na Rússia antiga. (N. da T.)

** Outro apelido do Impostor, que significa «O de cabelos cortados». (N. da T.)

*** Aprox. «Gregório dos Farrapos». (N. da T.)

Mesmo neste "ato sobre o signo", melhor do que o qual, no sentido de uma conotatividade desenvolvida, talvez nada se encontre entre as obras-primas da literatura mundial, o *signo* é inevitavelmente concretizado pelo poeta numa *imagem,* embora os opositores de Dimitri tivessem o propósito e a esperança de cortar (e "dispersar") este nexo.

O patriarca:

> ...On, *ímeniem tsariévitcha, kak rízoi*
> — Ukrádennoi, besstídno oblatchílsa:
> — No stóit lich' rasdrat' ieió — i sam
> — On nagotói svoiéiu posrámitsa.

> ...Ele, *com o nome do czariévitch,* qual casula
> Roubada, sem pudor vestiu-se:
> mais vale rasgá-la porém — e ele mesmo
> de sua própria nudez se cobrir de opróbrio.
> XV, 50-53, v. VII, p. 69

O relato do patriarca quanto às relíquias milagrosas do czariévitch assassinado, reforçando aquela (outra) denotação ou *imagem,* que ficou no lugar do *signo,* apenas serviu para intensificar a ênfase do *signo* dado. Às vezes Boris parece pensar também que toda a força do Impostor está na força do *signo* que recebe definições terríveis:

> "On *ímeniem ujásnim* opoltchen".
>
> Ele *com nome horrível* ouriçado
> XX, 72, v. VII, p. 89.

Aliás, justamente no verso anterior ao de seu monólogo, o czar separou pela primeira vez a *imagem* do novo Dimitri do *signo,* falando da força do Impostor para o qual o *signo* é apenas uma arma poderosa:

> Opásen on, siei *tchúdnii samosvaniéts*...
>
> É perigoso, este *fantástico impostor*...

Chúiski, muito hábil, foi o primeiro a perceber imediatamente que a força do Impostor não estava apenas nele *(imagem)*, nem mesmo no nome de *czariévitch* (no *signo* conotativo), mas que se encontrava na insatisfação coletiva, na disposição do povo para se sublevar contra o poder do czar. Mesmo na explicação evasiva, típica de cortesão, que Chúiski dá a Boris, mesmo com muitas reservas, não deixa de constatar que "a gentalha é rebelde... // Lhe agrada a audácia impudente..." (X, 80, 81, 86). No fundo desta constatação, Chúiski profere um aviso que, conforme seria de esperar, deveria alarmar o rival coroado:

> E se este vagabundo misterioso
> a fronteira lituana atravessar
> Em seu redor a multidão de desvairados atrairá
> o nome ressurreto de Dimitri
>
> X, 87, 90, v. VII, p. 46.

O tema da ameaça de levante, sublinhado na cena do encontro entre o czar e o vidente (XVII, 30-35) recebe um desenvolvimento completo na ocasião em que é dada a Basmánov a notícia da perdição dos Godunóv, notícia esta que o poeta pôs nos lábios do revoltoso Gavril Púchkin. O problema aparece numa forma profundamente generalizada, para cuja explicação não são mais precisos nem a *imagem* do Impostor, nem o *signo* do czariévitch: eles confluem para a denominação séria do Impostor como Dimitri e são substituídos no monólogo de Gavril Púchkin por uma imagem de outra natureza, expressa pelo "nós" universal do povo russo, que, conforme foi visto pelas curtas citações dos documentos do século XVII que aparecem na nota, correspondia exatamente à situação histórica no momento em que Dimitri chega a Moscou:

> No znáiech li tchem síl'ni *mi*, Basmánov?
> Ni vóiskom niet, mi pól'skoiu pomógoi,
> A mnêniem: da ! mnêniem naródnim.
> Dimítria ti pómnich' torjestvó
> I mírnie ievó zavoievánia,
> Kagdá biez vístrela iemú
> Poslúchnie sdaválís gorodá
> A voievód upriámikh tchern' viazála?..
>
> Mas sabes o que *nos* torna fortes, Basmánov?
> Não é o exército não, nem a ajuda polonesa,
> Mas a opinião, sim! a opinião do povo.
> Lembras a pompa de Dimitri
> E suas vitórias pacíficas,
> Quando a ele, sem nem um tiro,
> Obedientes se entregavam as cidades
> E a populaça amarrava os comandantes obstinados?..
>   XXI, 33-40, v. VII, p. 93.

Com isso tudo, os eventos históricos — e a tragédia de Púchkin, embora até certo ponto possa ser considerada convencionalmente como "ato sobre o signo", reflete antes de mais nada os eventos históricos[45] — se deram de tal modo que a marcha de Dimitri, o Impostor, para destruir o poder do czar Boris, detestado pelo povo, como protótipo de um governo policial[46], não resolveu o problema da

---

45. Púchkin era estranho à idéia de uma abordagem convencional da história: «Mazepa — escreveu ele em «Refutando as críticas» — age em meu poema exatamente como agiria se se tratasse de história» (v. XI, p. 158).

46. Vide particularmente, o relato do prisioneiro, realizado como réplica do Impostor: — Invejável é a vida das gentes de Boris!

Prisioneiro: ... A alguém cortam a língua e a alguém a cabeça... // As cadeias estão repletas... // Pois o melhor já é calar (XVIII, 17-28, v. VII, pp. 80-81).

criação de um regime legítimo. Associar ao pretendente o signo de "czariévitch" e de "imagem" popular, que, como idéia, seduziu a imaginação renascentista de Lope de Vega e que, na prática, acelerou o desaparecimento da face da terra dos cárceres de Boris, não pode adiantar a solução de um problema desta natureza. O povo, que pouco tempo antes, juntamente com Gavril Púchkin "corria em multidão" (existe uma analogia direta a isto no drama de Lope, onde o movimento popular, na véspera da ascensão ao trono de Dimitri, é chamado de "grande revolución"[47]) para amarrar "Boris, o filhote", clamando "viva Dimitri" (XXII, 38-39, vol. VII p. 96), o povo, na cena final (em sua variante definitiva), quando impelido a gritar "viva o czar Dimitri Ivánovitch", *cala-se*[48].

A correlação significante-significado, conotação e *denotatum* — e, mais exatamente, de acordo com a terminologia por nós adotada, signo e imagem, e a significação desta correlação para o humanismo da Renascença, partindo de seu caráter sígnico, passa a funcionar claramente em relação ao caráter imagético extremamente rico, por exemplo, de Romeu, na tragédia *Romeu e Julieta*.

À resposta da heroína, que ama um jovem para ela desconhecido ("Go, ask his name?" — I, 5, 137), a ama dá uma resposta-conotação essencialmente desumanizada, puramente sígnica, que determina apenas o lugar da personagem numa desavença da Idade Média, resposta esta na qual, ao ser proferido um nome, domina a designação hereditária de um clã inimigo, dada no original inglês com um mortificador artigo indefinido, que designa a persona-

---

47. «El gran Duque de Moscovia», II, 24.
48. O cursivo é de Púchkin.

gem e que normalmente não se aplica aos nomes próprios: "*a* Montague" (esta fórmula não encontra equivalente em russo. É mais brusca que o francês "un Montaigu" ou que o alemão "ein Montecchi", pois em inglês "a", "an" diferenciam-se de "one" e do significado de "um dos..."). A resposta da ama, quanto ao resto como convém a um ser extremamente humano nas hostes dos Capuleti, é o primeiro traço pelo qual pode ser adivinhada sua futura traição a Julieta:

> His name is Romeo, and *a* Montague:
> The only son of your great enemy.
>
> I, 5, 139-140

Na cena do jardim (II, 2), Julieta, que ainda não viu Romeu se aproximando, em suas primeiras palavras como que tenta separar *o signo*, que se lhe apresenta como a encarnação de uma desavença desumana, da *imagem* do amado. A imagem — embora no começo o *denotatum* da imagem seja contraposto ao signo do inimigo, apenas na forma do pronome "tu" (thou) abstrato (que não se usa mais) — nos lábios da jovem da Renascença afasta logo com força o *signo* medieval de inimizade: "...wherefore art thou Romeo? // refuse thy name // ... // which is no part of thee" (II, 2, 33-34, 48).

Devido ao fato que diante de nós está uma tragédia, o desvio do "signo" (Romeu... a Montague... the son of enemy...) em sua ligação não orgânica com o "objeto" diante da imagem do "objeto", procede de tal modo que o "objeto" aparece como real, mesmo de acordo com Freud-Lacan, pois ele intervém imediatamente como sujeito disposto a livrar-se do "signo" estigmatizante de inimigo, trocar seu significante por outro que não seja separado de sua essência de "signo", mas que expresse diretamente o *denotatum* dela como imagem:

> Call me but love...
> Henceforth I never will be Romeo.
>
> II, 2, 50-51

À medida que nas palavras de Julieta *o signo* do inimigo tradicional é afastado pela imagem do jovem amado, esta adquire uma determinação cada vez mais denotativa: I. *thou* (33); II. *thyself* (39); III. libertação do sobrenome no sentido positivo *(So Romeo would... // Retain that dear perfection...* (45-46); IV. aparecimento de uma combinação insólita nos lábios de um Capuleti: *gentle Romeo* (93); Ver finalmente, um oximoro total, por parte de um Capuleti: *fair Montague*.

O último monólogo que Julieta profere, sem saber ainda que Romeu a ouve, é uma afirmação renascentista plenamente desenvolvida da *figuratividade* viva, em contraposição com a lívida signicidade conotativa da desavença medieval. Além disso a "argumentação" de Julieta é tão visivelmente renascentista que, em certa medida, é possível explicar o que vem a ser a Renascença apenas com este único monólogo:

> 'Tis but thy name that is my enemy;
> Thou art thyself though, not a Montague.
> What's Montague? It is nor hand, nor foot.
> Nor arm, nor face, nor any other part
> Belonging to a man...
> That's in a name? That which we call a rose
> By any other name would smell as sweet;
> So Romeo would, were he not Romeo call'd
> Retain that dear perfection which he owes

> Without that title...
> And for that name, which is no part of thee,
> Take all myself.
>
> II, 2, 38-49

A contraposição da imagem ao *signo* conotativo é indicativo da Renascença, e em Shakespeare é possível encontrar cenas em que o predomínio da "signicidade" simboliza o pensamento não humanístico, de tipo medieval, que pode ocorrer anacronicamente também na tragédia de cunho antigo. É suficiente, como exemplo, considerar a cena III, ato III de *Júlio César* onde a multidão enfurecida despedaça um partidário de César, o poeta Helvius Cinna, que não tinha nenhuma relação (a não ser o nome da família, que funciona neste caso como signo conotativo) com L. Cornelius Cinna, um dos assassinos de César, de acordo com a tragédia:

> Second citizen: Tear him to pieces...
> Cinna: I am Cinna the poet... I am not
>   Cinna the conspirator.
> Second citizen: It is no matter, his name's Cinna;
>   pluck but his name out of his heart...
>
> III, 3, 29 e ss.

Na literatura humanista de outras épocas, por exemplo em Anatole France, no romance *Os deuses têm sede* (cap. XVI *et seq.*) o fato do "signo" ter sido preferido à "imagem" é representado como manifestação do renascimento de um Hamelin honestíssimo. Ele perde a tal ponto sua individualidade, que algumas pétalas de cravo vermelho *(quelques pétales d'un oillet rouge)*, descobertas por ocasião da prisão de Jacques Mobel, ligadas absurdamente à idéia de que o detido como que possa ser o corruptor de Elódia (a qual amava cravos vermelhos), servem como prova indiscutível, como sinal da hostilidade de Mobel e forçam a qualquer custo a execução de um homem inocente.

Como cético, Anatole France mostra adicionalmente que a formalização e a desumanização não garantem absolutamente a exatidão do "signo": na verdade, Mobel não era nem conspirador nem sedutor de Elódia e, igualmente, as malfadadas pétalas-signo não eram pétalas de cravo, mas sim de uma árvore de granadeiro ("une fleur de grenadier qu'ils appelaient je ne sais pourquoi, un oillet").

A atualidade das comparações apresentadas *signo-imagem* torna-se clara quando colocada frente à frente com a prática da tendência filosófica do neo-estruturalismo literário. No discurso de Jean Ricardou, exemplar, neste sentido, "Esboço de uma teoria dos geradores"[49], o autor logo declara:

É antidiluviano tudo o que tenta fazer do romance uma narrativa de peripécias e é atual tudo o que tenta fazer do romance peripécias da narrativa[50].

A leitura do texto contemporâneo — esclarece Ricardou — consiste justamente em não vir a ser vítima da ilusão da vida, mas em focalizar a atenção sobre a vida do texto em si. Nisto também está o caminho para a neo-inteligibilidade das leis de produtividade do texto, dos princípios de sua geração e organização[51].

---

49. Vide: «Positions et oppositions sur le roman contemporain» (*Actes et colloques*, VIII), Paris, Klincsieck, 1971 (daqui por diante PO). Para maiores detalhes sobre o desenvolvimento das idéias de J. Ricardou pode-se consultar o livro de Jean Ricardou, *Problèmes du nouveau roman*, Paris, Seuil, 1967.

50. *PO*, p. 143.

51. *PO*, p. 143. Ricardou rejeita o termo «criação», por como que subentender criação a partir de nada e o termo «expressão» pelo fato de, ao contrário, como que pressupor a existência anterior do expressado, e detém-se no termo «geração» (*PO*, p. 144). Trata-se aqui, entretanto, não da geração no sentido matemático (enumeração recorrente de combinações de símbolos-unidades), aproveitado pela lingüística transformacional, mas, por assim dizer, da fabricação, da produção do texto.

Deste modo, a leitura semiótica, de acordo com o neo-estruturalista, não é uma leitura da literatura, pois ela não é receptiva em relação à imagem como reflexo da realidade, mas apenas quanto à correlação *de signos*. Já se tratou antes do postulado da decifração do signo como cadeia de significados e significantes mutuamente intercambiáveis, sem saída para a realidade.

No melhor dos casos, a leitura semiótica — embora ela seja recomendada ao grande público por Jean Ricardou como leitura contemporânea *tout court* — é um tipo de metodologia da análise estrutural do texto. Porém, mesmo nesta categoria ela é pobre de recursos, pois, atrás do caráter livresco e altissonante dos termos "générateur monovocable (GmV) isosignifiant-isosignifié"[52], "GmV homossignificante-heterossignificado" etc., não há nem análise, nem jogo, no sentido estético da palavra.

J. Ricardou elege as obras de seus colegas (inclusive a própria) de acordo com o assim denominado "novo novo romance", *i.e.,* escritas tendo como objetivo a percepção privada e particular de um grupo especial. Mesmo que estes romances, suponhamos, não sejam bons, isto tanto faz, pois, na medida em que eles são criados em nome de uma orientação externa não orgânica, previamente determinada, no sentido de jogo com as estruturas, eles não são artísticos e justamente por este aspecto é que eles são considerados por Ricardou. Ao escolher o romance *A batalha de Farsala* de seu colega Claude Simon (nascido em 1913), 19 anos mais velho que ele, Ricardou explica (possivelmente por si só e possivelmente apoiando-se nos esclarecimen-

---

52. *PO*, pp. 145-146.

tos do romancista) que o GmV deste romance é a palavra "amarelo" *(jaune)*. Tendo notado no romance as palavras "sol", "urina", "cerveja", "jovem mulher loira", Ricardou determina esta série como "GmV de tipo heterossignificante-homossignificado"[53]. Ao encontrar, com ou sem a ajuda do romancista, uma referência a um legionário cumpridor do serviço militar (enquanto que outros se esquivavam dele), Ricardou proclama que isso é "o GmV implícito de tipo isossignificante-heterossignificado" pois, apesar da palavra "amarelo" aí não aparecer ("caráter implícito"), o soldado, permanecendo cumpridor, pode ser associado com os "amarelos" ("isossignificantes"), isto é, com os fura-greves, embora naturalmente, sua cor não seja o amarelo ("heterossignificado").

Não se pode, com tudo isso, perder de vista o principal, ou seja justamente o fato que em contrapartida, digamos ao "verde" na *Belíssima moleira* de V. Müller-Schubert ou à combinação "é terrível para mim" na *Dama de espadas* de Tchaikóvski, o *signo* "amarelo" (e suas modificações) em C. Simon, não é portador (e para Ricardou, de acordo com o neo-estruturalismo literário não deve sê-lo) de nenhuma carga de sentido. Por isso, no discurso de Ricardou, embora seja este um analista ativo e capaz, não há lugar para a análise da literatura e o discurso se apresenta como um jogo.

O perigo ideológico do neo-estruturalismo foi evidenciado naquele mesmo colóquio de Estrasburgo, durante a

---

53. Em termos mais simples: a palavra «amarelo» — que por nenhum motivo a não ser o entretenimento é declarada «básica» (geradora) no romance — sem intervir objetivamente em lugar algum (por isso é heterossignificante), reúne o sol, a cerveja, a urina, e a moça loira, cuja amarelidão unificadora(!) vem a ser o «homossignificado».

discussão entre Ricardou e Verkors. Este romancista famoso deu a seu discurso o título de "Romance — para que ele é preciso?" e ele mesmo forneceu a resposta, indo desde a crítica da sociedade de massa burguesa (cujo ideal seria uma "raça de ilotas materialmente prósperos, de simplórios satisfeitos consigo próprios, um protoplasma sexualizado e motorizado") até à exigência de uma atividade humanística por parte do escritor. Poderia se discutir sobre o grau de concretude social do discurso, mas como tarefa principal da literatura, Verkors propôs a "humanização" do homem, a reação contra aquilo que o empurra para o domínio do subconsciente e da ignorância. Verkors propôs aos romancistas franceses proceder à humanização por meio do desenvolvimento da "liberdade da vontade do homem, inversamente proporcional à ignorância", etc.[54].

A própria idéia do nexo entre literatura, indivíduo e seus interesses indignou Jean Ricardou. Como que repetindo as teses de François Wahl, ele disse que o objeto descrito (em literatura) por isso mesmo torna-se um contra-objeto: "sua estrutura, submetida à série de linguagem, "n'est mullement semblable" a aquele objeto, que foi tomado como ponto de partida". Deste modo, segundo a tendência filosófica do neo-estruturalismo literário, a orientação para como que associar à literatura a idéia de uma humanização progressiva" (Ricardou sublinha ironicamente estas palavras) é "metafísica"[55].

Disso, naturalmente, Ricardou não é um adepto rigoroso. De seu ponto de vista seria mais correto dizer que cada tentativa de ligar a literatura, o texto, com o indiví-

---

54. *PO*, pp. 5, 11, 14.
55. *Idem*, pp. 17-18.

duo, com as exigências da sociedade, já não é uma crítica autêntica, pois já não é o verdadeiro neo-estruturalismo mas uma "trans-signicidade", uma "metassemiótica".

Com isso pode-se concluir a caracterização da tendência filosófica e transformacional do neo-estruturalismo literário, pois não há aqui o que discutir.

Ainda nos primórdios de nossa era, quando as camadas inferiores oprimidas insurgiram-se contra a desumanidade do Império Romano e dos escribas farisaicos, que puseram a letra morta da lei, o signo, acima do indivíduo, em nome destas camadas que procuravam justiça, foi dito aos escribas: "o sábado para o homem deve ser, e não o homem para o sábado".

Passados mil e quinhentos anos entrou na discussão sobre a relação entre o humano absolutizado e o sígnico absolutizado, o poeta que é considerado o representante *par excellence* da Renascença, o "nosso pai" Shakespeare. Aliás, ele não entrou apenas como artista, mas diretamente como pensador, que expressa claramente *seu* ponto de vista. À semimaldosa, semi-ingênua pergunta da consciência pertubada da rainha quanto ao que parece a Hamlet "extraordinário" no destino do pai, o poeta, pela voz de seu personagem preferido, dá uma resposta clara:

> *Ham:* Seems, madam! nay, it is; I know not seems.
> 'Tis not alone my inky cloak, good mother,
> Nor customary suits of solemn black,
> Nor windy suspiration of forc'd breath,
> No, nor the fruitful river in the eye,
> Nor the dejected 'haviour of the visage,
> Together with all forms, moods, shows of grief,
> That can denote me truly: these, indeed, seem;

> For they are actions that a man might play:
> But I have that within which passeth show;
> These but the trappings and the suits of woe.
>
> *Hamlet,* I, 2, 76-86*

A propósito, ao neo-estruturalismo resta a *ultima ratio:* "Pour la sémiotique, la littérature n'existe pas..."⁵⁶.

---

* N. Balachóv fornece a tradução russa de M. Lozínski que não retraduzimos, achando mais elucidativa a reprodução do trecho original de Shakespeare. (N. da T.)

56. J. Kristeva, *RS*, p. 41.

2. POSSIBILIDADES E FORMAS DE APLICAÇÃO DA CATEGORIA SEMIÓTICA DA "SIGNIFICAÇÃO" EM POÉTICA E NOS ESTUDOS LITERÁRIOS

A análise que visa a elaboração da categoria da "significação" e os métodos semióticos de pesquisa podem auxiliar a desenvolver a poética e ampliar as possibilidades dos estudos literários. Entretanto, logo surge a questão: haveria uma ruptura entre os procedimentos de pesquisa semióticos e estruturais e a possibilidade de se aplicarem estes procedimentos na análise literária, aplicação esta que se daria não apenas em certos casos específicos particularmente gratificadores, mas, de um modo geral, na solução dos problemas fundamentais dos estudos literários?

No âmbito da teoria, convém considerar de forma bastante ampla a diferença que se reflete na terminologia científica russa[1] entre *estruturas,* no sentido próprio do termo (lingüísticas, antropológicas, folclóricas etc.) e *sistemas* (por exemplo, poéticos). Como unidades de estrutura funcionam elementos que podem ser comparáveis, opostos, intercambiáveis e determináveis pelas regras da conjunção, disjunção, etc. O sistema diferencia-se basica-

---

1. Vide, por exemplo, no livro de V. S. Tiúkhtin, *Reflexo, sistema, cibernética,* Moscou, 1972, as páginas 12-38 e índice bibliográfico (pp. 242-250).

mente da estrutura pelo fato de que seus componentes fundamentais não são unidades intercambiáveis, nem redutíveis às leis da lógica matemática. Se numa parte sua qualquer (digamos, as unidades estróficas ou as unidades fonemáticas do plano da expressão) elas puderem também ser consideradas como elementos, então elas atuarão em correlação com os constituintes do "plano do conteúdo" que, no discurso poético (à diferença da comunicação pura e simples), já não são de modo algum elementos. Como resultado, as unidades mínimas, relevantes para a análise da obra poética, não constituem unidades simples — elementos da estrutura — mas apresentam-se como indecomponíveis e complexas unidades da lógica matemática ou formal — componentes do sistema[2].

Estes componentes não se estruturalizam e dificilmente sujeitam-se (sem a mediação de uma teoria particular, que até agora não foi elaborada) a qualquer tipo de metódica da pesquisa semiótica, com exceção de alguns procedimentos bastante imprecisos do estudo de uma possível função sígnica de um componente dado.

Ao ser comparada com "sistema", a palavra "estrutura" não deve ser considerada em seu significado pré-estruturalista, proveniente de uma das raízes homônimas indo-européias *ster* ("amontoar", "construir"). Isto porque

---

2. No que se refere às unidades lingüísticas, E. Benveniste já efetuou sua diferenciação referente às unidades quantitativas, idênticas e intercambiáveis, com as quais operam as Ciências Naturais. Ele relacionou as unidades lingüísticas não com a identidade e o *continuum*, mas com o domínio do discreto e do diferente que é passível não apenas de divisão, mas também de desmembramento, de desmontagem em partes, cada uma das quais é diferente da outra. No que se refere à linguagem poética, a diferenciação de E. Benveniste é eficaz em vários níveis. Vide: E. Benveniste, *La forme et le sens dans le langage* (1966), in *Recherches sur les systèmes significants...*, introduzidor por J. Rey-Debove, Paris, The Hague, 1973, pp. 92-93.

a estrutura, em tal caso, apresenta-se como um termo particular — não simplesmente como "formação", "edificação", "construção". A estrutura é vista não tanto como construção interna, como composição de uma obra de arte[3], não tanto no plano do que é dado pelo artista, quanto no plano da possibilidade de abstração da disposição, da ligação e da característica das partes de um certo todo, que permite descrever, pesquisar, explicar este todo, em particular por meio da comparação (em dado nível) com outros todos de uma série determinada.

Uma das falhas cardinais na metodologia das escolas estruturalistas ocidentais está ligada com o fato de não se querer convir que as dificuldades da "estruturalização" originam-se não apenas devido ao grau de desenvolvimento da ciência como tal, mas também devido às propriedades objetivas do material: uma coisa é a estruturalização dos paradigmas de declinação; outra coisa, a estruturalização de obras de arte, digamos, sobre o tema da *Última Ceia*. Neste caso, é muito difícil (se não impossível) apresentar como elementos da estrutura os componentes essenciais da composição artística de uma obra, como a de Leonardo da Vinci, ou de uma série de obras, por exemplo, de Giotto, Leonardo, Tintoretto, embora pareça relativamente simples dar uma resposta genérica à pergunta de qual seria a estrutura da *Última Ceia* de Leonardo (Giotto, etc.).

Alguns semioticistas de considerável experiência consideram como tarefa relativamente fácil a própria manifestação das estruturas universais que podem servir como "metalinguagem da cultura descrita". Sendo

---

3. Vide, por exemplo, o livro de M. Alpatov, *A composição em pintura* (Moscou-Leningrado, 1940), ou nosso artigo «A estrutura do poema «Lorelei» de Brentano e a análise não-formal» (*Ciências Filológicas*, 1963, nº 3).

assim, admite-se, para limites bastantes amplos, a "comunidade estrutural de diferentes aspectos da arte", que se observa, por exemplo, no ponto de vista "externo" ou "interno" de um artista (pintor, escritor). Surgem aqui, entretanto, dificuldades insuperáveis, ligadas com a especificidade do material e, de modo geral, com a especificidade de uma arte dada. Ao se estabelecer o exemplo que está se tornando antológico, da "posição interior" do pintor da Idade Média e da "posição exterior" do pintor da Renascença, eis que se encobre, aqui também, a profunda contradição como critério da tipologia estrutural[4]. Seus adeptos não notam que estão contrapondo à posição real, concretizada, do pintor renascentista, a posição irrealizada, almejada, "interior", do pintor medieval. Está última não é concretizada, em primeiro lugar, devido às limitações objetivas da possibilidade de reproduzir os espaços com as figuras neles distribuídas, numa superfície não infletida "para dentro" e, em segundo lugar, por causa das leis graduais do desenvolvimento da arte, condicionada pela decadência e pela destruição da antiga pintura do fato real, devido ao atraso da percepção medieval da perspectiva, atraso este superado apenas na ápoca da *Re-nascença*. As limitações objetivas de se darem os espaços sobre superfícies e a diferenciação gradual destroem a clareza fictícia da tipologia topológico-estrutural. Em sua *Última Ceia*, Leonardo consegue uma "interioridade" significativamente maior do que a dos mestres da Idade Média, embora, da "interioridade" formal, nele tenham permanecido apenas

---

4. Referência ao capítulo «Elementos estruturais comuns às diferentes formas de arte. Princípios gerais de organização da obra em pintura e literatura», do livro *A poética da composição* de B. A. Uspiênski e que faz parte de uma antologia sobre *Semiótica Russa* publicada pela Editora Perspectiva, 1979.

os escorços naturais das figuras limítrofes dos apóstolos, a "virada" do corpo e o movimento circular do braço direito de Judas (ainda em Giotto, este último situava-se em frente a Cristo, de costas para o observador: *i.e.*, eram aparentes os rudimentos da posição "interior"). Contudo, veremos que justamente o Leonardo "exterior", se analisarmos particularmente a disposição alta do afresco na parede de madeira do enorme banquete (antecipando curiosamente a "tela panorâmica" atual), com todas as suas particularidades de construção, introduz o observador numa posição interna. Pela perspectiva remota que, respondendo à enormidade do espaço da sala do ágape, situa Cristo e os discípulos no centro e não no limite do espaço visível; pela diferenciação na atitude dos apóstolos diante da difícil contingência, que de repente se lhe deparava, de introduzir o observador no centro da disputa, no centro do drama; pela contraposição, também, da indispensável atividade dos discípulos — que se insurgem de improviso contra a iniqüidade — e pela humildade de João, à tranqüilidade leonardesca da personagem principal, tranqüilidade esta que atua, no pintor da Renascença, como unidade de sabedoria e de ação, e que é capaz, de acordo com as representações renascentistas, de vencer o impossível e assegurar a vitória do interior sobre o exterior. Com toda esta substancial "interioridade", Leonardo consegue uma posição de artista tipologicamente "exterior", semelhante à foto-objetiva. Uma obra artística concreta não resistiu a uma descrição na metalinguagem do "exterior" e do "interior", desmentindo a universalidade "topológica" da tipologia estrutural.

A dificuldade que foi apontada no exemplo da análise da *Última Ceia* e outras, específicas, referidas anteriormente, da abordagem semiótica da estética, no referente a unidades concretas individuais e não apenas a elementos isolados das estruturas, juntam-se a mais algumas, comuns à semiótica em geral. Na verdade, não é raro que também elementos isolados de estrutura funcionem como aquelas unidades, no sentido matemático do termo, que E. Benveniste ligou ao âmbito das ciências naturais. Por isto A. J. Greimas, ao afirmar "o fato de que qualquer semiótica é um sistema de relações e que ela é indiferente à natureza dos termos-objetos (dos signos) simplifica, aparentemente, o problema da homogeneidade da descrição"[5] percebeu que, via de regra, todos estes termos-objetos, apesar de tudo, já estavam manifestos antes da descrição semiótica. Em outras palavras, eles não aparecem como unidades livres de qualquer concretude, mesmo se a "denominação" é efetuada "não unicamente em função do referente, que é o mundo exterior, mas também, e sobretudo, em função de seu *découpage* classificatório..." *(Du Sens*, p. 24). Desta forma, apesar do caráter concessivo do discurso, constata-se, mesmo assim, uma dificuldade de ordem semiótica, condicionada pelas ligações não apenas com o aspecto quantitativo-relacional, mas também com o aspecto qualitativo dos "termos-objetos" de qualquer domínio da semiótica — além dos limites da gramática, da lógica formal e da matemática —, com os quais se torna necessário operar. A fim de superar semelhante dificuldade, de pouco serviria o "sonho dos lógicos" (naturalmente, dos adeptos da Lógica formal e não da dialética) de "criar uma língua que nada signifique" *(Du Sens,* p. 7), pois seria preciso que não significasse nada também o operado e que seus componentes não tivessem concretude quantitativa, especifici-

---

5. Cf. A. J. Greimas, *Du Sens,* Paris, p. 23 e ss.

dade. Com efeito, a aproximação a esta contradição fatal de planos semióticos maximalísticos levou J. Kristeva à idéia de uma "anti-semiótica" que lidaria não com signos (nem mesmo com signos encerrados numa cadeia, onde cada significado seria definido exclusivamente como significante do signo seguinte, pois a tal idéia já haviam chegado, no fim dos anos 60, R. Barthes, M. Foucault, F. Wahl e a própria J. Kristeva), mas operaria com o produto de uma série de significantes (não apenas sem "referentes" no mundo exterior, mas igualmente sem significados) governado, sem estar sujeito a nenhuma explicação científica, por uma "gramaticalidade" axiomática.

A. J. Greimas do fim da década de 60, moderado em comparação com a J. Kristeva de 1972, esforçava-se por encontrar o caminho para delimitar e combinar o caráter e as funções de uma semiótica discriminatória ("divisória", dirigida apenas para momentos relacionais e quantitativos, enquanto que uma semiótica qualitativa, de conteúdo, que Greimas propôs-se a definir especificamente, não se alinharia no sentido conhecido do conceito de "semiologia" — *Du Sens,* p. 31-32 e ss.). Afastar-nos-íamos demais de nosso tema se parássemos para estudar o fato de que, a fim de criar uma teoria da "semiologia", dentro dos possíveis limites de sua linha de pesquisa, aconteceu a Greimas dirigir-se para o experimento de uma compreensão dialético-materialista da filosofia e incluir nas tarefas da "semiologia" a elucidação do problema de como "o indivíduo concebe o mundo e o organiza no sentido de uma individualização" *(Du Sens,* p. 71).

Voltando à questão das possibilidades de se aplicar as teorias semióticas à poética, é preciso dizer que, no concernente à prática de escolherem-se obras poéticas para análise estrutural ou pesquisa semiótica, é possível considerar algumas razões externas que determinam (consciente ou inconscientemente) tal seleção.

Num dos melhores trabalhos que experimentam as teorias semiótico-estruturais sobre um material concreto, o livro de T. Todorov, *A Gramática do Decamerão**, por exemplo, o que evidentemente se constrói não é a "gramática" do "Decamerão" como tal, com seu projeto geral, seu enquadramento ativo, o desenvolvimento da idéia, dia após dia, a individualização dos narradores e de suas funções, mas sim a "gramática" *de cem novelas*. Isto permite ao pesquisador apoiar-se na *repetição*, a qual, combinada com a unicidade do autor, do material narrativo e da visão do mundo renascentista, cria condições relativamente favoráveis para a observação dos componentes arquitetônicos das novelas, segundo o prisma "repetição — unicidade de elementos — substituição recíproca — estruturabilidade".

Uma observação análoga pode ser expressa também em relação à escolha, para experimentos semióticos, de romances epistolares (por exemplo, *As Ligações Perigosas* de Choderlos de Laclos) e, em grau um tanto diferente, no referente à escolha preferencial de obras modernistas nas quais a convencionalidade, própria da arte, não atua organicamente, mas que foram pensadas pelos autores como construções codificadas de signos intencionalmente convencionais, com uma chave individual especial para sua decifração (por exemplo, livros de escritores como Bataille, Artaud, Roussel etc.). No estudo de François Rastier "Sis-

---

* Trad. bras.: São Paulo, Perspectiva, no prelo.

temática das isotopias"[6], o soneto de Mallarmé "Salut"[*] foi escolhido para ser analisado de acordo com uma finalidade seletiva por demais pensada. O estudo poderia ter-se tornado mais convincente se tivesse sido tomada uma obra em "dois planos", mas de âmbito clássico. Veja-se o caso do assim chamado "Cisne" ("Cycnus") de Horácio, por exemplo (*Odes*, livro II, 20, A Mecenas: "Non usitata / nec tenui ferar..." conhecida em russo também na célebre transposição de Dierjávin). No caso da escolha da ode de Horácio, o virtuosismo metafórico não interviria num aspecto por demais "sofrido", como ocorre no soneto de Mallarmé, de *per si* admirável, onde a polissemia, que após Greimas tornou-se moda denominar com o termo "isotopia", extremamente impreciso dentro do contexto dos estudos literários, é realçada já no nível do "antecedente". A ambivalência, em Horácio, não é levada até uma bi (ou tri) significância exterior, lógica e portanto, em parte, in--artística. O mesmo significante — *canorus ales* — conduz, metaforicamente, em Horácio, ao mesmo tempo, ao signi-

---

6. *Essais de sémiotique poétique*, Paris, 1972.
[*] É este o poema de Mallarmé ao qual o autor se refere:

SALUT

Rien, cette écume, vierge vers
A ne désigner que la coupe;
Telle loin se noie une troupe
De sirènes mainte à l'envers.

Nous naviguons, ô mes divers
Amis, moi déjà sur la poupe
Vous l'avant fastueux qui coupe
Le flot de foudres et d'hivers;

Une ivresse belle m'engage
Sans craindre même son tangage
De porter debout ce salut

Solitude, récif, étoile
A n'importe ce qui valut
Le blanc souci de notre toile. (N. da T.)

ficado direto, à imagem da "ave grande (cisne), dotada com o dom do canto" e à imagem do "grande, imortal, poeta-profeta" elevado acima de todos os reinos[7]. Isto, a despeito do pensamento de A. J. Greimas-F. Rastier, para cujo reforço foi tomado o poema "Salut" de Mallarmé, torna mais complexa a teoria da isotopia poética, uma vez que a assim chamada isotopia, se for acompanhada pelo isomorfismo, já não é isotopia nenhuma, mas sim homologia. Horácio, pois, cuja ode possivelmente serviu, mesmo que por antítese, de ponto de partida remoto para Mallarmé, como que prevendo dois mil anos antes a teoria das isotopias poéticas, homologiza nitidamente ambos os lados da imagem "canorus ales" nas célebres palavras sobre a unidade do mortal e do imortal no poeta: — "o poeta biforme" ("biformis / vates neque in terris morabor...")[8].

Um outro obstáculo no caminho de se realizar a análise semiótica da literatura, tal como também o problema da possibilidade e do grau de "estruturalização" da obra, está ligado às propriedades objetivas da criação poética. Para qualquer receptor — seja ele o semioticista, que a

7. Em Dierjávin: «Neobitacháinim iá parién'em // Ot tliénna miraotdeliús' // S duchói bessmiértnoiu i pién'em, // Kak liébed' vvózdukh veznesús'». (Num adejar inusitado // Do mundo vão eu me separarei // Com alma imortal e canto, // Qual cisne elevar-me-ei no ar»). A ambivalência é dada nos versos 15-16 de sua ode: «No budto niékaia tsevnítsa // S niebiés razdámsia v golossákh». (E como alguma cornamusa // Dos céus, ressoarei nas vozes). Se a ode de Dierjávin for considerada uma transposição de Horácio em metalinguagem semiótica, então ela é muito profunda. A representação em dois níveis da dualidade de «canorus ales» é dada também dualmente — diretamente — «V dvoiákom óbraze netliénnii...» (Na imagem dúplice imortal); e indiretamente — graças à intervenção de uma expressão insólita e poeticamente refinada: «S niebiés razdámsia v golossákh» (Dos céus, ressoarei nas vozes).

8. Em Dierjávin: «V dvoiákom óbraze netliénnii, // Nie zaderjús v vratákh mitárstv; // Nad závistiu prevoznesiénnii, // Ostávliu pod sabói blesk tsarstv». (Na imagem dúplice imortal, // Não demorarei às portas dos tormentos; // Elevado acima da inveja, // Deixarei atrás de mim o brilho dos reinos). Em latim o texto é o seguinte: «Non usitata nec tenui ferar // Pinna biformis per liquidum aethera // Vates neque in terris morabor // Longius invidiaque major // Urbes relinquam». (N. da T.)

transcodifica em sua metalinguagem, seja ele o mais modesto leitor, que não fica indagando sobre a formulação de sua percepção — ela é o objeto *(ob* — jectum, *Gegen*-stand). Daí, inevitavelmente, surge a questão do esteroceptivo, *i.e.* da essência da realidade objetiva dada a nós pela sensação (quem não concorda conosco que se detenha na sua percepção como "referente" ou como "fenômeno" e não prossiga na leitura). Sem alguma afinidade potencial, ao menos, com a cognição do esteroceptivo e com a conveniência da abordagem semiótica por este processo, dos objetos poéticos, a existência destes, em si ou em expressões (no "enunciado") perderá imediatamente qualquer significado epistemológico, comunicativo, estético, humano. Quando um estudioso tão conhecido como Greimas diz que "para a semiótica... o falso ou o verdadeiro são a mesma coisa", com ele pode ser mantido um diálogo, na medida em que se trate da correlação da semiótica com as verdades relativas, sejam elas morais ou artísticas. Entretanto, se o diálogo passar a visar a relação com o problema da verdade filosófica em geral, tornar-se-á difícil. A pergunta à qual Poncio Pilato não recebeu uma resposta direta — "O que é a verdade?" — permanece atual. E os semioticistas não podem abdicar da tese antiga: — Eu vim ao mundo para testemunhar sobre a verdade. Deve servir de estímulo a semioticistas de diferentes convicções filosóficas o fato de poder considerar com objetividade, mesmo fora do âmbito da discussão, se isso é matéria, espírito, fenômeno, "referente" ou quaisquer outras "instâncias *ab quo* da geração da significação". (*Du Sens*, pp. 158, 159)*.

---

* Esta e outras citações foram traduzidas diretamente do original francês para o português, toda vez que, para maior clareza, tornou-se necessário evitar certos matizes interpretativos presentes nas citações russas destes textos. (N. da T.)

A elaboração semiótica do problema da significação favorece certo progresso científico. O princípio da "unidade da forma e do conteúdo" estaria arriscado a se imobilizar em clichê se, à parte, não fossem realizadas pesquisas sobre a relação entre o "plano do conteúdo" e o "plano da expressão". Neste sentido, é digno de nota o interesse para com o "processo da expressão" (em arte) que se manifesta, digamos, em T. Todorov, a partir do livro *Literatura e significação* e sua tese de que um dos três planos da articulação da expressão é o "plano do processo da expressão"[9].

Isso corresponde à tendência geral de querer realçar, dentro das pesquisas semióticas, o aspecto verbal, dinâmico, do conceito de "significação" com um matiz de aspecto imperfectivo: *signi-ficatio* como *actio et modus significandi* — "ação e modo de significação".

A atenção para com o processo do discurso poético, o considerar-se a ação e seu modo de denotação como o momento fundamental da compreensão do significado da poesia, constitui uma das conquistas da semiótica. Aqui poderiam até ser traçados os célebres paralelos com os princípios hegelianos do tipo dos de sua tese sobre "O movimento progressivo do conceito"[10]. Se bem que, na filosofia clássica e no idealista Hegel, a questão era colocada em termos de movimento real, automovimento, desenvolvimento, enquanto em Marx, o desenvolver-se da matéria levava, em determinadas circunstâncias, ao surgimento da

---

9. T. Todorov, *Littérature et signification*, Paris, 1967, p. 51.
10. Hegel, *Obras*, vol. V, Moscou, 1937, p. 35. No texto original o elemento do paralelismo intervém mais claramente: «die eigene Fortbestimmung des Begriffes» («Wissenschaft der Logik», Hegels Samtl, Werke hrsg v. G. Lasson, Bd III, 1932, p. 37).

consciência, etc. Ora, as semióticas visam de preferência não o desenvolvimento da significação, mas seu movimento convencional, puramente operacional.

Aqui está um dos pontos de divergência mais importantes entre as tendências semióticas que imperam no Ocidente e aqueles caminhos que levaram à superação do que Roland Barthes chamou de "opacidade do texto", seguidos por estudiosos soviéticos como D. S. Likhatchóv, M. B. Khráptchenko, G. V. Tsereteli e outros (vide, em particular, a publicação anual *Kontext 1972* e *Kontext 1973;* a coletânea *Textologia das literaturas eslavas,* Leningrado, 1973). D. S. Likhatchóv, em suas teses que constam desta última obra, coloca em primeiro plano os momentos-chave da história do texto (se é que eles podem ser estabelecidos), traçando deste modo a diretriz do *desenvolvimento* real da significação. Tal método leva o pesquisador a uma compreensão verificável, objetiva e cada vez mais exaustiva da significação do texto poético inesgotável, em princípio, como a própria vida.

Em alguns semioticistas o realce do papel da denotação como *actio modusque significandi* levou à concepção da cadeia de "significância" como um processo convencional, operativo, no qual não tomam parte signos, mas apenas significantes, sem qualquer saída não só para a "referência", mas para o próprio "significado". Assim é anulado, na significação, todo aspecto de sentido que possa ser conduzido à denotação pela denotação, o que, por sua vez, torna impossível a aplicação das metódicas semióticas estruturais no estudo da literatura e, de um modo geral, no *estudo* de coisa alguma.

Esta tendência "niilista" é observável nos trabalhos da segunda metade da década de 60: no livro de M. Foucault,

As palavras e as coisas, no estudo maximalista de F. Wahl, "A filosofia entre o pré e o pós-estruturalismo", no livro de J. Kristeva, *Pesquisas de semanálise,* em seu artigo de 1972, "Semanálise e produção do sentido", até à forma refinada pela qual é expressa em 1973 por R. Barthes em seu livro *O prazer do texto*[11].

O pingo no *i* no tratamento do estruturalismo como sistema epistemológico fechado e "defenomenologizado", como já nos ocorreu escrever *(Kontext 1973),* foi colocado por F. Wahl:

> Nada compreender, mas submeter tudo a transformações... O simbólico-semiótico, na mesma medida em que não se relaciona com o mundo real, também não se liga ao mundo ideal", "ou estrutura, ou ser" etc. *(O que é o estruturalismo?*[12]*).*

O artigo de J. Kristeva, nos já lembrados *Experimentos de semiótica poética* — *Semanálise e produção do sentido,* apresenta-se como uma tentativa de fundamentar a anulação da semiótica contemporânea como culpada em relação ao estruturalismo clássico saussuriano.

É evidente que aquela unidade mínima na qual ter-se-ia transposto uma significância infinita, não pode ser o *signo,* tal como o definiu Saussure... Pois o signo, mesmo se dele se arrancar o referente, permanece uma dicotomia simétrica, na qual cada significante é associado a um significado[13].
O "diferencial significante", penetrando o signo, desviando-o, construindo-se aquém e além dele, lança um desafio à semântica estrutural...[14]

---

11. R. Barthes, *Le plaisir du texte,* Paris, 1973. Tradução brasileira de J. Guinsburg: Editora Perspectiva, São Paulo, 1977 (nesta coleção).
12. *Qu'est-ce que le structuralisme?,* Paris, 1968, pp. 320, 328, 329.
13. *Essais de sémiotique poétique,* p. 222.
14. *Essais de sémiotique poétique,* p. 225.

J. Kristeva afirma ser o texto "uma operação translingüística que, embora se efetue na língua, é irredutível a certas categorias estudadas na linguagem da comunicação — objeto da lingüística... o texto não está fora da língua, mas é "estranho à língua"[15] (J. Kristeva refere-se aos trabalhos lingüísticos de Mallarmé, antes considerados obras de diletantismo, que ela, realmente, analisa de maneira nova e nos quais vê a antecipação de algumas idéias suas e de outras encontradas por ela em Benveniste; no caso em questão, trata-se da introdução de Mallarmé ao *Tratado sobre o verbo*).

Com isso, J. Kristeva acha possível colocar, como base de sua semanálise antilingüística, a teoria lingüística das gramáticas gerativas, com procedimentos específicos por ela delimitados. Os artigos de J. Kristeva citados a seguir, são os pontos básicos do programa das gramáticas gerativas e, particularmente os ítens 2 e 4, parecem absolutamente impróprios para a aplicação das metodologias semióticas à análise do texto poético e, em geral, a sistemas diretamente não-estruturáveis:

§ 2: A exclusão da problemática semântica (com seu conceito de signo) e sua substituição por outra estritamente sintática de tal maneira que não possa ser colocada a questão... do valor epistemológico da noção de *gramaticalidade,* a qual será tomada como critério de verdade das operações sintáticas...

e o

§ 4: "A limitação da teoria ao estudo da frase denotativa...[16]

Não entraremos aqui numa polêmica detalhada, uma vez que já dedicamos à não-aplicabilidade da gramática lingüística gerativa aos estudos literários metade de nosso

15. *Idem*, p. 212.
16. *Idem*, p. 213.

artigo "Para uma crítica das tendências mais recentes do estruturalismo nos estudos literários" (*Kontext, 1973*). Lá esforçávamo-nos por mostrar a impossibilidade das transformações experimentais do texto poético, visto como um sistema não estruturalizável diretamente e no qual qualquer transformação arbitrária alteraria, até tornar irreconhecível, não apenas seu campo conotativo, mas também o denotativo. Abstraindo-se as alterações de caráter inconsciente da tradição poética oral e a necessidade de recodificar as obras no momento de sua tradução numa língua diferente ou na linguagem de uma outra arte (que, basicamente, leva ao surgimento de outros objetos poéticos), deve-se dizer que, além das variantes autorais, não pode haver nenhuma transformação justificável que possa ajudar a compreensão, a descrição ou a recodificação de um texto poético. Uma transformação experimental arbitrária, possível em certo limite na gramática gerativa que lida com a língua como meio habitual de comunicação, não pode ser aplicada ao texto poético porquanto ela leva ao surgimento de um *outro* texto poético, cuja correlação com o primeiro conduz a um campo problemático. Tal campo encontrar-se-ia na dependência de uma série não definida e não definível de mudanças num mínimo de três planos: 1) infindáveis repercussões de cada mudança nos limites de um dado texto fechado; 2) série infindável de conseqüências semânticas nas relações do texto alterado, com seu contexto sincrônico; 3) o mesmo, em relação ao contexto diacrônico.

    Por isso os projetos "anti-semióticos" de J. Kristeva parecem-nos ainda mais contraditórios do que as metódicas semióticas postas por ela em discussão, originárias do clássico estruturalismo "sígnico" de Saussure-Hjelmslev. A tentativa empreendida por J. Kristeva de libertar-se das categorias da linguagem como meio de comunicação, através de procedimentos que se tornam complexos justamente na esfera lingüística, antes em seu domínio gramatical que no semântico, não se presta para a análise dos sintomas semânticos poéticos (em sentido lato), irregulares, em comparação com as estruturas gramaticais da linguagem da comunicação habitual.

Importância maior para a poética e os estudos literários do que a "anti-semiótica" de J. Kristeva pode vir a ter a generalização da tendência dos artigos de A. J. Greimas, escritos depois da *Semântica estrutural* (*i.e.*, entre 1966 e 1970) e reunidos pelo autor no já citado *Du Sens*. A linha isológica destes artigos apresenta uma curva bastante quebrada, pois em alguns deles, em "Lingüística e poética estrutural" (1967), por exemplo, e na introdução ao livro citado (1970), o autor aproxima-se às vezes de um estruturalismo autônomo e fechado (ora falta uma saída para o "referente", ora ela é atenuada, e não raro, por pouco não é irônica), enquanto em três outros que se cruzam cronologicamente — "Considerações sobre a linguagem" (1966), "Elementos de gramática narrativa" (1969) e, particularmente, "A estrutura semântica" (1969) —, pelo contrário, como que tenta ligar a semiótica com o aperfeiçoamento de caminhos concretos do conhecimento filosófico.

Pode-se acrescentar ao número de paradoxos da semiótica contemporânea o fato de que a realidade objetiva entra nela, via trabalhos de A. J. Greimas, não com o objeto de observação, mas com o instrumento: com os elementos do "plano da expressão" mais do que com os elementos do "plano do conteúdo". Como se um astrônomo se convencesse da existência de um início material da esfera celeste, não tanto vendo, fotografando, não apenas fixando os espectros, as irradiações dos corpos celestes e aprendendo tudo isto, quanto ainda investigando e apalpando o telescópio e os outros aparelhos, com ajuda dos quais são conduzidas as observações.

Tal materialismo "virado pelo avesso" manifesta-se em A. J. Greimas não nas direções da teoria da reflexão, mas no resultado do contato com o que é refletido; Greimas vai desde o reconhecimento da realidade objetiva e da materialidade da articulação vocal, da forma fônica do discurso poético, até o reconhecimento da objetividade do conteúdo. O receio da teoria dialética do conhecimento leva o autor a guiar-se não por conhecimentos filosóficos elaborados, verificáveis pela prática, mas a operar com os meios artesanais da lógica "natural".

Quando A. J. Greimas liberta-se do receio de passar por "materialista" dentro da semiótica (ou esquece este cuidado), embora mormente pelas vias de um pensamento lógico-formal, critica bastante satisfatoriamente a teoria das figuras de Bachelard e afirma a realidade do que é dado nas sensações:

A análise semântica de um lexema como "cabeça" permite separar a figura nuclear de natureza esteroceptiva, constante para todas as ocorrências e contextos e passível de ser descrita como "uma extremidade pontuda e esferoidal" de qualquer coisa (*Du Sens*, pp. 45, 46).

Sem insistir por demais no lexema determinado "cabeça", é preciso notar dois momentos do pensamento de

Greimas. Em primeiro lugar, a conhecida aproximação com a reflexão hegeliana sobre o primordial no objeto e no seu conceito[17].

Em segundo lugar é preciso compreender o pensamento de Greimas em seu desenvolvimento, como que somando os aspectos fortes da característica gnoseológica de orientação na semiótica ocidental dos anos 70, ligada a este pesquisador:

A transformação da expressão em conteúdo, considerada como um processo do estabelecimento da correlação de dois sistemas virtuais, um dos quais comanda o processo da percepção e o outro dá conta da manifestação lingüística da estrutura semântica, pode ser apresentada como uma tentativa de explicação da passagem do referente extralingüístico para o plano do conteúdo lingüístico, *i. e.*, para a estrutura semântica (*Du Sens*, p. 46).

O artigo "Lingüística e poética estrutural" (no mesmo livro, mas escrito dois anos antes) e, particularmente, a relação do artigo com o livro publicado cinco anos depois, em 1972, *Ensaios de semiótica poética*, mostra que as tendências positivas manifestadas por ocasião de uma elaboração mais abstrata da semiótica, não são facilmente aplicáveis à poética, nem em teoria, nem na prática. A. J. Greimas tenta seguir a orientação de Lévi-Strauss e construir uma semiótica — no caso dado, da poesia —, dentro das categorias do estruturalismo "clássico". Mas, como resultados de complexas reflexões, momentos fundamentais do discurso poético, salientam-se (nos limites de um texto isolado) sua "redundância" e sua "isotopia",

---

17. «...por exemplo, cada indivíduo humano, embora seja algo eternamente singular, mesmo assim possui em si o *prius* (o primordial) de toda esta singularidade, *prius* este consistindo no fato de que ele, em toda esta singularidade, é um *ser humano*» (Hegel, *Obras*, vol. V, p. 12).

tratada como "feixe redundante de categorias sêmicas" (*Du Sens,* pp. 276, 277).

Por "redundância", naturalmente, não se subentende nem amontoamento nem prolixidade. O sentido deste termo da velha retórica foi completamente mudado em teoria da informação. Parece ter passado de C. E. Shannon para a poética, por intermédio de R. Jakobson, que aprecia tais transplantes. Esclareçamos que o conceito de "redundância" em Greimas, se for observado com certo distanciamento, pode também ser submetido a ulteriores elaborações frutíferas, uma vez que nele está fixada (embora de modo ainda não exatamente dialético) uma importante particularidade da expressão da significação na arte. Trata-se justamente da possibilidade inerente à arte, e que condensa sua expressão, da livre correlação fônica, sintática, metafórica, de gênero, etc., etc., entre o "plano do conteúdo" e um dado "plano da expressão". Tal correlação condiciona determinadas conformações do "plano da expressão" e permite-lhe completar e reforçar repetidamente a influência do "plano do conteúdo", ao mesmo tempo, antecipando-o parcialmente, ultrapassando-o: a harmonia da sintaxe e a sonoridade dos versos antes do esclarecimento suficiente de seu significado, esclarecimento esse que se realiza graças à percepção de ambos os planos e não apenas do "plano do conteúdo": "No skoro zvónkoi mostovói..." ("Mas logo, pela calçada sonora..."), "Khóri stróinie svetíl..." ("Os coros harmoniosos dos astros"); são ilustrativos os casos de percepção dos sons de uma língua que não é compreensível de imediato: por exemplo, o efeito dos versos latinos, ou mesmo de epitáfios, notado por Blok, — "I miéd' torjénstvennoi latíni / Poiót na plítakh, kak trubá..." (E o bronze do latim solene /

canta nas lápides, como clarim); o colorido, a composição, são o movimento fundamental do quadro visto, mas ainda não examinado; a impressão de uma peça musical ainda não relacionada com o compositor, a escola, a possibilidade de qualquer equivalente verbal etc.

Entretanto, a categoria semiótica da "redundância", que subentenda não apenas isso, pode levar também a uma formalização extra-estética, que desfigura a essência da arte. Esta categoria não subentende apenas a figuratividade da arte (a respeito da qual A. J. Greimas nada diz em seu artigo), nem apenas a aproximação específica entre significado e significante na arte (que é importante e sobre a qual ele fala à página 279), mas, no estágio atual de sua elaboração, ela admite igualmente a possibilidade exteriormente estilizatória, que não é orgânica para a arte, de se pensar numa separação dos dois planos, e, como conseqüência, de se pensar numa manipulação particularizada do "plano da expressão". Mas isso já diz respeito não especificamente à arte como tal, mas a fenômenos como a produção, a imitação epigônica, o amaneiramento, e também à invenção de obras sígnico-convencionais, com uma chave individual específica, que não podem ser percebidas artisticamente se esta chave não for dada pelo autor, ou por um crítico "iniciado" (mas que, por outro lado, não podem, no fundo, ser percebidas artisticamente, mesmo que esta chave seja conhecida, devido à sua convencionalidade inventada que exclui o momento criativo livre, indispensável ao artístico), e a outras manifestações semelhantes que receberam grande divulgação no século XX, com sua produção mercantil de "objetos de arte".

A teoria da "redundância" ignora aquelas deslocações que surgem quando Greimas já não fala do sentido em arte, mas do "efeito de sentido" (*Du Sens*, p. 279), não da significação mas da "significação aparente do 'sentido profundo' escondido no plano da expressão e a ele inerente" (*idem*).

A substituição das categorias do "sentido" e da "significação" na arte pelas categorias do "efeito de sentido" e da "significação aparente", que tem parentesco com a troca da "significação" por "significância", está no mesmo plano da equiparação com a arte de uma quase-arte não-orgânica (cerebral) e atesta o distanciamento do problema da correlação entre arte e realidade refletida.

O ativo realce da "isotopia" como uma das categorias básicas da poética semiótica, com a recusa efetiva da definição deste termo, a não ser por meio de exemplos de ordem ilustrativa e particular, põe à mostra o caráter profundamente contraditório e a confusão das opiniões de A. J. Greimas.

A isotopia é um conceito estruturalmente bem nítido em química, onde ele efetivamente designa a "iso-topia", a "semelhança de lugar", de séries de elementos químicos com propriedades semelhantes em diferentes níveis, que se combinam, em repetições periódicas. Em princípio, este conceito perde seu sentido fundamental quando é transportado para a poética, onde tal caráter repetitivo não existe. Por isso, no caso dado, não devemos limitar-nos a uma crítica dos parâmetros básicos da teoria das isotopias de Greimas, como foi feito de maneira esmagadora e conseqüente por J. M. Klinkenberg[18], mas sim recusar de

18. J. M. Klinkenberg, «Le concept d'isotopie en sémantique et en sémiotique littéraire», *Le français moderne*, 1973, vol. 41, p. 3.

vez toda esta teoria. A. J. Greimas não deu a definição de isotopia em poética semiótica, porque tal isotopia não pode ser definida satisfatoriamente. Na teoria geral da poética (nós não falamos aqui de "algumas particularidades da versificação", etc.) não se observam "semelhanças de lugar" (*topos*). Se a isotopia não transmite, com a escolha de outra palavra infeliz, o termo barthiano de polissemia, ela pode designar tanto duas coisas diferentes, igualmente aceitáveis para Greimas, quanto não significar nada. Em arte pode ser estudada a "semelhança, a confrontação das formas", a "semelhança dos planos de expressão" — *i. e.*, o isomorfismo, ou a "semelhança dos conteúdos", a "semelhança dos planos do conteúdo", *i. e.*, a *isoperiekomênia*[19]. A palavra isotopia é filha da união do modismo do emprego, em poética, de conceitos provenientes das ciências naturais, com um sentido figurado, não científico-natural, mas lógico-retórico e, além do mais, não é a palavra *topos* mas sim *topikós* a que se enraizou, especialmente na língua inglesa, sob a forma de *the topic* (o tema, o objeto / de reflexão/). O termo *topikós*, proveniente da designação aristotélica *ta topika* (≃ lugares-comuns), poderia ser adequado para a poética (no sentido lato do termo), sendo que suas derivações "isotopiquia" ou "isotópica" poderiam designar a semelhança de figuras (retóricas), mas nunca a "isotopia". O conceito de polissemia poética pode ser desenvolvido pelo estudo da combinação dialética, num dado nível, com a monossemia da inesgotabilidade real da

---

19. Em nome de uma universalidade terminológica, para a designação do conteúdo foi escolhido o conceito aristotélico que conservou o mesmo sentido na bibliografia marxista neogrega: «Tó periekhómenon» — conteúdo (em relação à forma), conteúdo concreto (etimologicamente: «abrangido», do verbo «periekho» — abranger, portanto, «conter»).

obra artística que se manifesta tanto sincrônica quanto (e em medida ainda maior) diacrônica, historicamente, na permanência da obra durante os séculos — *habent sua fata libelli*. Esta é uma orientação fecunda. Pode-se igualmente desenvolver a polissemia nos casos de duplicidade estabelecida, que tem aplicação limitada na arte, mas que, no limite, transforma a arte em quase-arte, em *ars praemeditata et apparata*, i. e., em não-arte. Para a isotopia poética, se ela for recusada como parente da polissemia ou do isomorfismo, ou ainda da *isoperiekomênia*, resta apenas o domínio da seca e racional não-arte.

Ao mesmo tempo, a saída para além dos limites do estético pode sugerir também uma saída para além dos limites da polêmica científica, nos domínios do engraçado[20]. Isso foi iniciado por Roland Barthes, parece-nos, que, em lugar de uma polêmica direta com a idéia da isotopia poética, adiantou a idéia da *anisotropia* do texto:

> Se você enfia um prego numa árvore, a resistência da madeira muda conforme o lugar onde o prego está sendo enfiado: diz-se que a madeira não é isotrópica. O texto igualmente não é isotrópico: não dá para adivinhar onde fica a nervura fina e onde está a borda[21].

---

20. Pode-se ter idéia da nuvem de confusões que envolve o termo «isotopia» em seu atual estado de elaboração semiótica, pela maneira com que Greimas como que pressupõe, outra vez, a possibilidade de muitas soluções artísticas adequadas, possibilidade esta baseada na «redundância» dos meios artísticos que exprimem de modo diferente em arte, *o mesmo conteúdo*, como se forma e conteúdo não fossem inseparáveis. Citando seu colega Ruwet, Greimas escreve, por exemplo, que «certo soneto de Louise Labé pode ser mostrado como sendo feito por séries de transformações isotópicas de uma única expressão: «Eu te amo» (*Du Sens*, pp. 276, 277). Esta concepção de obra poética liga-se à suposição geral que foi expressa pelo mesmo autor, em outro artigo («Elementos de gramática narrativa») de que «o significado é indiferente aos meios de sua manifestação» (*Du Sens*, p. 158).

21. R. Barthes, *Le plaisir du texte*, p. 60.

Por mais estranho que pareça, a polêmica irônica velada contra a teoria da isotopia (talvez surgida inconscientemente, "automaticamente") levou Roland Barthes em seu livro mais difuso-confuso, à idéia que pode tornar-se um fio condutor no caos do estruturalismo literário ocidental contemporâneo. Se o texto, tal como a árvore — reflete Roland Barthes —, não é isotrópico (não é homogêneo em suas propriedades em todas as direções) "então é necessário que a análise estrutural (semiologia) se adeqüe às menores mudanças da resistência do texto, ao desenho irregular de suas nervuras"[24].

Tudo isso mostra que as tendências de R. Barthes, T. Todorov, J. Kristeva, A. J. Greimas, dentro do desenvolvimento da semiótica e, em particular, da categoria da "significação", são diferentes e de valor desigual. Se tomarmos as posições-limite, então em Kristeva está a tendência para a libertação falida da semiótica em relação ao sentido e para sua redução a um processo fechado de significância.

No que se refere a Greimas, sua linha tende para uma união, ainda não conseguida, entre a semiótica e o mundo objetivo. Não conseguida, no que foi possível ver, pela falta de clareza da concepção de isotopia poética, mas dirigida potencialmente para a referida união.

Será que conserva sua atualidade a questão de saber-se se as contradições da aplicação em poética das categorias da escola semiótico-estrutural estariam mais ligadas com as contradições da instauração da própria semiótica literária ocidental ou mais com a "ruptura" no desenvolvimento da arte no século XX, que, em parte, borrou o

22. *Idem.*

específico do estético e por isto engendra teorias estéticas dedicadas a leis extraestéticas?

De qualquer modo, na análise crítica da "escola" de Greimas, não deve ser esquecido também que, em oposição à tendência de Foucault, Wahl e Kristeva, está determinantemente manifesta, aqui, a tentativa de ligar as pesquisas semióticas com o mundo objetivo e com o conceito de esteroceptivo.

O primeiro congresso da Associação Internacional de Semiótica, realizado em Milão, em junho de 1974, mostrou que, juntamente com o enriquecimento dos aspectos e o alargamento dos campos de discussão que introduziram na poética as metódicas semióticas, começou também seu notório estado de marasmo generalizado. Marasmo este que deixou nitidamente suas marcas também no livro *O prazer do texto*, de R. Barthes, embora, como foi visto na polêmica, mesmo subconsciente, com a teoria da isotopia, ele expresse firmemente a idéia do nexo entre as propriedades do material e a metódica da pesquisa. Em conjunto, portanto, o alcance da aplicação que está ligada ao estudo das funções sígnicas na poética e nos estudos literários, sem levar em conta o grau de estruturabilidade real do material, a falta de compreensão da importância deste momento para um estudo realmente efetivo, ameaça levar a uma retomada daquela racionalização difusa e ensaística em relação à literatura, que as escolas semiótico-estruturais tentaram justamente evitar.

Coleção ELOS

1. *Estrutura e Problemas da Obra Literária*, Anatol Rosenfeld.
2. *O Prazer do Texto*, Roland Barthes.
3. *Mistificações Literárias: "Os Protocolos dos Sábios de Sião"*, Anatol Rosenfeld.
4. *Poder, Sexo e Letras na República Velha*, Sergio Miceli.
5. *Do Grotesco e do Sublime*. (Tradução do "Prefácio" de *Cromwell*), Victor Hugo (Trad. e Notas de Célia Berrettini).
6. *Ruptura dos Gêneros na Literatura Latino-Americana*, Haroldo de Campos.
7. *Claude Lévi-Strauss ou o Novo Festim de Esopo*, Octavio Paz.
8. *Comércio e Relações Internacionais*, Ceiso Lafer.
9. *Guia Histórico da Literatura Hebraica*, J. Guinsburg.
10. *O Cenário no Avesso (Gide e Pirandello)*, Sábato Magaldi.
11. *O Pequeno Exército Paulista*, Dalmo de Abreu Dallari.
12. *Projeções: Rússia/Brasil/Itália*, Bóris Schnaiderman.
13. *Marcel Duchamp ou o Castelo da Pureza*, Octavio Paz.
14. *Os Mitos Amazônicos da Tartaruga*, Charles Frederik Hartt (Trad. e Notas de Luís da Câmara Cascudo).
15. *Galut*, Izack Baer.
16. *Lenin: Capitalismo de Estado e Burocracia*, Leôncio Martins Rodrigues e Ottaviano De Fiore.
17. *Círculo Lingüístico de Praga*, Org. J. Guinsburg.
18. *O Texto Estranho*, Lucrécia D'Aléssio Ferrara.
19. *O Desencantamento do Mundo*, Pierre Bourdieu.
20. *Teorias da Administração de Empresas*, Carlos Daniel Coradi.
21. *Duas Leituras Semióticas*, Eduardo Peñuela Cañizal.
22. *Em Busca das Linguagens Perdidas*, Anita Cevidalli Salmoni.
23. *A Linguagem de Beckett*, Célia Berrettini.
24. *Política, Jornalismo e Participação*, José Eduardo Faria.
25. *Idéia do Teatro*, José Ortega y Gasset.
26. *Oswald Canibal*, Benedito Nunes.
27. *Mário de Andrade/Borges*, Emir Rodríguez Monegal.
28. *Poética e Estruturalismo em Israel*, Ziva Ben-Porat e Benjamin Hrushovski.
29. *A Prosa Vanguardista na Literatura Brasileira, 1922/29*, Kenneth David Jackson.
30. *Estruturalismo: Russos x Franceses*, N. I. Balachov.

Este livro foi impresso na

Av. Guilherme Cotching, 580 - S. Paulo
Tels.: 291-7811
Com filmes fornecidos pela Editora